그렇게 많은 날이 갔다

그렇게 많은 날이 갔다

김은숙 시집

고두미

□ 시인의 말

고스란히 詩에 순정을 쏟지 못하고
시 쓰는 마음으로
사람에게 좀더 손길 발길 내기로 한 5년여 기간에 쓴 시들을
부끄러움을 무릅쓰고 묶는다

혼자 길을 걸으며
바람의 숨결과 먼먼 구름과 노을 그리고
흔들리고 스치는 것들과 뒷모습이 하는 말을 받아 적었으나
함께 부려놓은 마음 스산하여
무늬가 되지 못한 헐거운 새김이 민망하다

2022년 6월
김은숙

그렇게 많은 날이 갔다

차례

제1부 아무도 울지 않았다

제2부 남아 있는 체온을 모아

제3부 그 저녁 바람의 노래

제4부 언젠가 봄날에

제1부

아무도 울지 않았다

죽비竹篦 소리

시에 치열해라

시를 쓰는 시인이 아니라
시답게 사는 시인이 되어야 한다며
선배 시인이 건네는 한마디

참 따갑고
푸르다

입춘

밤새 누가 울고 갔는지
공기의 안쪽이 흠뻑 젖어 있다

삐걱거리며 울려오는 땅 밑 신열과 균열

떠나가고 흩어지고 올라가고 깨어나는 것들
많아지겠다

그럴 수가 없다

속살 고운 조팝나무 꽃가지 눈앞에 휘어져도
연보라 수수꽃다리 수줍은 향기로 다가와도
오래 눈 맞추고 웃을 수가 없다

지상에 내려온 별꽃 눈빛 반짝이고
부지런한 노란 냉이꽃 발목을 휘감아도
눈 맞추고 오래 앉아 평화로울 수가 없다

곱디고운 봄까치꽃 보랏빛 눈웃음 반기고
노란 속살 민들레 낮은 미소로 말을 건네도

저 여린 꽃잎 꽃잎이
채 피우지 못한 어린 숨 같아서
너무 이르게 별이 된
안쓰러운 사월의 생명들 같아서

흩날리는 벚꽃 잎이 네 눈물 같아서
하늘에서 전해오는 소식 같아서
오래오래 그 고운 얼굴들을 마주할 수가 없다

보드라운 바람결도 뜨거운 칼날이 되어
저릿한 가슴 후비는
사월 이 땅의 참담한 들숨 날숨들

그림자 계절

허공의 눈시울이 뜨거워지는
참혹한 계절이면
떨칠 수 없는 그림자 매달려
욱신거립니다

모르는 척 하늘엔
지지 않는 별들 따갑게 쏟아지고
서슬 푸른 바다엔
검붉은 울음 무너지는데

일찍 늙어 버린 그대의 오열은
귀퉁이에 주저앉아
젖은 손길로
시대의 체온을 짚고 있는지

건너지 못하는 떨치지 못하는
그림자 계절 사월이면
그날의 바람도 길을 묻다가
오래오래 참혹해 숨을 멈춥니다

난독難讀의 시간

보이지 않던 마음이
조금씩 보이기 시작하자
수렁같이 깊었던 내 난독의 씨실 날실이
돋을새김으로 드러난다

헤아리지 못한 마음들
제대로 읽지 못한 생각들
외면의 차가운 순간이 살아나
심장 안쪽을 깊숙이 찌르고
비척비척 홀로 걸어갔을 쓸쓸한 걸음들이
내 안으로 다시 걸어 들어오는 저녁

깊이 읽혀지는 것이 많아지자
비로소 보이는 칠흑 같던 내 난독의 시간
지워질 수 없는 시간의 무게에
휘청, 가슴 저미며 파고드는
뜨거운 뒷모습의 부답不答

우기雨期를 건너는 법

— 옥수수 좋아하세요?
— 좋아하지. 근데 왜?
— 오늘 밭에서 땄는데 좀 가져다드리려고요

며칠째 장맛비는 이어지고
구름 잔뜩 품은 하늘은 시커먼 몸을 넓히는데
옥수수 한 자루 건네는 이성배 시인 어깨 위로 물음표 하나 건너온다
온몸에 알알이 마디게 박힌 옥수수 알갱이들을
이렇게 수많은 결실을 일궈내는
땅의 지배자는 누구일까

태양의 신과 물의 신이 서로를 탱탱하게 바라볼 때
물과 햇빛의 적당한 거리를 버무리는
바람과 구름의 갈피가 긴요했을 것이니
씨앗을 품고 몇 차례 뒤척였을 땅의 색 땅의 마음
무던한 땅 위를 때로 어루만지거나
우수수 휩쓸며 지나갔을 바람의 몸짓과
먼 곳에서 무심히 지켜본 구름의 속삭임
그 옆에서 소곤거리는 색을 띤 나뭇잎들의 대화

그러는 사이 탱글탱글 영글었을 마법의 시간들

찰옥수수 한 자루 무게의 문장이
알알이 빼곡한 생각을 땅에 심고 하늘을 짐작하게 하는 시간
기나긴 우기雨期에도 때로 달착지근한 바람은 하품처럼 몸을 풀고
옥수수 한 자루로 찰진 마음이 건너오기도

이제 가을이 오리라

대지에 파고든 볕의 깊이
어디까지 이른 걸까

달궈진 바람 오래 머물던
어둑하니 산그늘도 차츰 넓어지리니

먼발치 달빛은 모르는 척 고요하고
소홀한 얼굴에 드리워지는
아득

입추立秋

대서와 처서 사이
나비의 날갯짓 사이로 오는
가을

우주의 숨결 따라 나직나직
하품처럼 늘어지는 날갯짓 사이로

이 가을

적막으로 가는 숲에 서 있는
한 그루 고요

저 말갛고 깊은
서늘

아무도 울지 않았다

소인 없는 다비식 초대장을 받았다
입동 무렵, 넓적한 감잎으로 도착한 가을 다비식 초대장엔
느티와 단풍, 왕벚과 화살나무의 이름이 발신 자리에 나란히 새겨져 있었다

모든 잎 떨구고 검은 몸 드러낸 장엄한 나무 아래 둘러서 두 손 가슴에 모은 다비식
소슬바람 불현듯 일어나 진혼곡을 연주해도 웅성거리지 않고
엎드린 나뭇잎들도 찢겨진 상처나 고인 눈물에 대해 말하지 않았다
마지막 핏기를 모아 서로 조금 더 가까이 끌어안다가 메마른 몸이 부서져도 누구도 탓하지 않았다

지나간 누구의 걸음이 그러했을까
누군가 건너간 마지막 하늘이 이러했을까
직박구리 한 마리 울음을 삼키며 지나가고 아무도 울지 않았다
붉디붉은 몸을 낮춰 지상에 엎드린 경건한 다비식
내년 봄이라든가 다음 생이라든가 하는 섣부른 기약은 하

지 않았다

언젠가 한 생을 수습하는 자리
그 마무리 색을 두 손 모아 짚어보는 입동 무렵 다비식
뜨거워진 눈시울로 노을 지는 먼 곳을 바라봐도
묵직해진 마음 말리기는 쉽지 않았다

지나온 시간이 따끔거렸다

붉나무는 뜨거운 언어로 수런거리고
느티나무 아래선 내 몸의 잎들이 기도처럼 물들어 갈 무렵
나는 좀 까칠해지기로 하였다

숙성되지 못한 언어는 어눌하게 서걱거리고
이유 없는 난감함에 걸음 자주 멈추는 계절
어느 것에도 오래 눈길 주지 않기로 하였다
내 몸 두꺼운 껍질을 단단히 매만지며
세상에 조금 날을 세우기로 하였다

투명한 바람으로 구름으로 다녀갔는지
체온조차 기억나지 않는 그대 그림자
언제까지고 익명인 가을은 낡아도 따끔거리고
서툰 위로처럼 지상에 떨어져 누운 잎은
구멍 난 몸으로 굽은 언어를 건네는데
먼 그대 눈빛 함부로 일렁여도 아무렇지 않게 외면하고
그저 버티며 나를 차단하기로 하였다

하여 나는 그저 오래오래
굽은 등에 핏줄처럼 새겨진 이 가을 지문을 만지기로 하

였다

　계절의 등뼈만 가만히 쓰다듬기로 하였다
　사위어 가는 하늘 쓸어내리는
　입동 무렵에는

입동立冬 채비

깊고 고운 이파리를 자랑처럼 매달고
뜨겁고 눈부신 생애를 물들이던 나무들이
하나둘 잎을 떨구며 맨몸을 드러내는 입동 무렵

긴 겨울을 건너기 위해
입동 무렵 느낌표와 마침표로 지상에 연주하는
바람과 나무의 장엄교향곡 속을 걷다가

내 생의 입동 무렵
이파리 떨구듯 비우며 살겠다는 거창한 화두나
느낌표나 마침표 같은 특별한 새김 없이

생의 주름이 쌓일수록
따뜻한 밥 한 끼 잘 사는 사람으로 살자고
다른 건 못해도 밥 잘 사는 일 하나만은 하자고
내 삶의 입동 무렵 단순한 마음 채비를 한다

입동 무렵

이제 그대의 손은 더 분주해질 것이네
몇 계절을 건너느라 부서지고 찢겨진 남루한 흔적 돌보며
움츠려드는 눈빛 다잡아 다가올 시간을 준비할 것이네
첫눈 기다리며 하늘 올려다보는 날 많아도
떠오르는 약속 하나 없는 저녁엔 오래도록 허공을 마주할 것이네

그러나 그대 기억하리니
지나온 계절의 가시끝 같은 배후와
빠져나오지 못하고 떠도는 서글픈 문장들
젖은 얼굴 파묻고 지나온 거리에서 출렁이던 표정과
어둠 속 뒤척이던 물기 묻은 잠의 잔해
숨죽이고 참아온 누추한 눈물자국

그대여 나여
건너온 길 이리 아득하나 아무것도 깃들지 않고
애써 그린 생애의 지도 위로 속수무책 표류하는 문장들만 부유하는
지금은 입동 무렵
차디찬 바람이 쓸고 가는 겨울의 얼굴을 마주할 때이니

어쩌면 저 투명하고 짱짱한 얼음 같은 정신을 기다려 온
것인지
겨울 쪽으로 한 걸음 먼저 내딛는 걸음

누군가의 맨발

길가에 팽개쳐진 신발 한 짝 눈에 밟혀
손끝 발끝 따갑게 시려 온다

누구인가
이 겨울을 꽁꽁 언 맨발로 건너는 이의 뒷모습이 보이는 듯
차고 무거운 냉기 엄습하고

낯선 이의 허기와 냉기가 들어앉아
손끝 발끝 아릿하게 저리는 겨울
가만가만 발등만 쓰다듬는 저녁

나의 부음訃音을 받고

할머니 기일에 산소에 가 참배하며
이리 추운 겨울날은 피해서 떠나야겠다고 속말을 하는데
문자로 건너오는 어느 시인의 부음訃音

며칠 새 이어지는 이른 부음들
매서운 추위 속에 길 떠나는 사람 한둘이 아니구나
먼 길 떠나는 두 발이라도 따뜻하게 여며주고 싶다고
마음길 한 자락 펼쳐지다가
불현듯 망자亡者 이름에 내 이름이 겹쳐진다

다른 세상으로 건너가는 내 이름에서
어렴풋이 낙엽 타는 내음 나고 연기가 피어나는 걸 보니
어쩌면 가장 좋아하는 늦가을에 떠나는가 보라고
낙엽과 함께 태워져 연기처럼 떠나는가 보라고
붉디붉은 다비식에 나를 모셔놓고
하얀 연기처럼 가벼워져 떠나는 나를 바라보며
이승을 떠나는 것이 낯설지도 무섭지도 않고
지금 여기 살아가는 것이나 다른 세상으로 떠나는 것이
그리 멀지도 다르지도 않은 듯 편안하여
이왕이면 하루 중 가장 순도 높은

붉고 깊은 노을 무렵에 떠나면 좋겠다고
어쩌면 붉은 구름으로 슬며시 스밀 수 있을 것 같다고
넘치는 욕심 일어 입가에 웃음 번지는데

나를 기억하는 이들에게나 나에게나
보내는 일이나 떠나는 일이 이렇게 편안하고
혹한의 겨울 잦아들어 봄의 기운을 맞이하듯
누구나 떠나는 길이 자연스러우면 좋겠다고
웅숭깊은 생각 자리 잡는데
나의 부음을 받고 먼 길 떠나는 나를 미리 배웅하며
문자로 전해진 망자의 이름을 쓰다듬어 보낸다

그렇게 많은 날이 갔다

멀지 않은 곳에서 촉발된 풍문은 시작부터 독했다
코로나, 그 붉고 푸른 왕관에 대한 드센 소문이
들끓고 증폭되는 지루한 날들 이어지고

한 계절 꽃들도 마음 놓고 피기를 주저하는 거리에는
함부로 눈길 발길 내지 못하는 사람들 사이로
서로의 거리를 가늠하는 표식들이 자리 잡았다

오르내리는 미열에 예민하고 잔기침에 눈치 보는
착하고 두렵고 가련한 눈동자 사이에서
두 눈이 지표가 되고 눈빛의 말을 제법 읽어 낼 무렵
검열과 혐오가 모여들어 불온한 연대기를 새롭게 써 갔다

닫고 잃고 무너지고 지우고 떠돌다가
놓치고 떠나고 꺾이는 사람들 많아지고
여기저기 뜨겁고 서늘한 아우성 굽이치는데

이 지대의 끝도 분명 있을 거라고
일상의 평화와 온기를 바라는 몸짓들이
흩뿌려진 순백의 체온을 끌어모아 여기저기 눈사람을 만

들면
마침내 눈사람마저 농담처럼 마스크를 쓰고 서 있고

서로 기댈 수 없는 거리를 유지하며
언어와 표정을 지우고 살아가는 것이
쓸쓸함도 잊은 채 편안한 일상이 되었다

제2부

남아 있는 체온을 모아

동백冬柏의 말

동백을 보리라 먼 데 섬을 찾아간 겨울
이리저리 연결된 작은 길을 걷다가
진초록 이정표도 오솔길 다정함도 없이
정처 없는 내 생의 길을 만났다

그럴듯한 밑그림도
뜨거운 떨림도 새겨넣지 못한 생애의 지도에
환한 등불 하나 걸지 못하여
저만큼 떨어져 캄캄한 섬이 된 것인지
눈빛 휘청이며 문득 길을 잃는데

곡조 없는 바람만 떠도는 적막한 섬에도
지상에 붉은 그리움 하나쯤 새겨놓고
가끔은 뜨겁게 울어보는 게 어떠냐는
동백의 말이 들렸다

눈물처럼 붉은 무게로 전하는
그 겨울 동백의 말
동백 빛 눈시울은 꽃을 피우는가
먼바다 물비늘 흩어지며 일렁이고

손끝 저린 섬 귀퉁이엔 검붉은 노을 꽃 피었다

목련 안부

봄볕에 그을린 마음 먼먼 달빛에 걸어 두고
마침내 하염없이 내려와
지상에 귀를 대는 나무연꽃의 묵상

누렇게 지친 꽃잎 달빛 아래 비스듬해도
목련꽃 이파리 여윈 등을 기대며
웅성거리는 마음을 모아 순정을 모아
그대에게 묻는 그늘 깊은 지상의 안부

구름의 안부

이름 모르는 풀이라고
봄날이 없는 건 아니다

이름 모르는 꽃이라고
향기가 없는 건 아니다

이름 모르는 이의 얼굴에서
느닷없이 시름이 보이고

견디려는 하루가
뒷모습에서 지문처럼 만져진다

구겨 넣은 마음들이 제멋대로
풀처럼 자라는 오후

길 위에 무성한 시름 줄기 바라보며
뜨겁고 고단했을 마음 주름을 가늠할 때

주름의 빈틈을 비집고
따스하게 반짝이는 봄볕 한 모금의 위로

빈 길에 실컷 몸을 펴는
구름의 안부가 궁금하여

바람에게 새겨보는
이 땅 뿌리 깊은 꽃과 풀의 언어

꽃눈

봄꽃 잔치 눈부셔 차마 볼 수 없더니
밤새 비 내린 후 꽃눈 내립니다

온몸 흠뻑흠뻑 봄비 적신 대지는
하늘하늘 꽃눈 내려 환해집니다

살포시 여린 꽃잎 부여안으며
부끄러이 부끄러이 환해집니다

잠시

나풀나풀 바람결 따라 벚꽃 흩어진다고
꽃잎에 일렁이던 눈빛마저 지웠을까
꽃잎 피고 지듯 바람 숨결 건너오면
벚꽃 그림자도 서둘러 몸 오그리는데

흩어지는 여린 꽃잎이
지상으로 건너오는 안부 같아서
불현듯 그리움 같아서
지는 꽃잎 속 새겨진 낮은 목소리 들릴지 몰라
한껏 기울여 숨죽이면
흩어지는 발자국 사이로
먹먹하게 정지되는 잠시

먼먼 기억의 계단을 디디고 서서
잠시 그렇게 아주 잠시
눈시울 뜨거워지는 벚꽃의 낯빛
벚꽃 그늘 아래 잠시 건너간
저 먼먼 기억의 저편

하늘의 음률

꽃 피는 소리 부질없이 요란하여
막막하게 노을 깊은데

이름을 잊은 그대 하늘은
저 만큼에 멀다

하늘가 일렁이는 저 붉은 음률
꽃물도 핏물도 없이 지상은 설핏 물빛 머금고

아득하여라 하늘은 더 멀리 기울어
지워진 이름을 또 지운다

길마가지꽃

낙가산 오르막길 햇살 아래 싹틔운 할미꽃만이 아니다
그 옆 오솔길 숨어서 향기 깊은 길마가지꽃만이 아니다
어제는 대지를 꼭 붙잡고 엎드린 봄까치꽃 무더기에 오래 주저앉고
오늘은 하늘 향해 입술 여는 산수유꽃 봉오리가 발길을 잡는다

유난히 옥색 치마저고리를 좋아하던 할머니
그분에겐 내가 길마가지꽃이었는데
길마가지 사랑 손녀에게도 애틋한 눈길 주지 못하고
싹 난 감자처럼 돌아앉아 민숭민숭한 날들을 꿰매며
마음 길 내는 일에 마지막까지 옹색했던 할머니 응달의 시간
투박한 표정으로 두리뭉실 맘을 여몄던 생애

깨끗이 닦은 흰 고무신을 신고 길을 나서던
할머니 뒤꿈치가 생각나는 봄밤
타박타박 먼 길 걸어간 흰 고무신은 어디에 닿은 것일까
뫼등에 고개 숙인 할미꽃으로 피어나거나
먼먼 하늘 혹은 저 캄캄한 땅밑 아늑함에 기대어

환하게 웃으며 마음껏 탄식이라도 풀어놓으며
조금은 평안한 지대에 이른 것일까

청매 홍매 여린 봉우리 나란히 허공을 밝히는 날
수척한 마음들이 몸을 돌려 서로에게 위로의 말을 건네면
하늘이며 땅에 가득한 봄기운 사이로
향기 깊은 길마가지꽃 지천으로 피는데
닿지 못하는 향기로 지천은 또 이리 아파서
물기 가득 품고 끙끙 앓는 봄밤

덜컹거리는 우기雨期

불온 문서처럼 우기는 들이닥치고
덜컹거리는 하늘 뒤쪽에선
느닷없이 소녀의 실종 소식이 들려왔다*

방향을 알 수 없는 쪽으로 바람 휘몰아치는 사이
불안은 너무 쉽게 발을 디밀어 숲길을 파묻고
숨은 길까지 갈피갈피 헤집는 마음 애달파도
기다리는 소식은 캄캄한데

맨드라미 달맞이꽃은 마냥 비를 맞고 서 있다

엄습하는 불안은 누구의 얼굴인가
불쑥불쑥 일어나는 두려움 저릿하게 이어져도
탄식 같고 부름 같은 희망 그러안고 고샅 헤쳐 나가는
기나긴 우기雨期

* 2019년 여름 충북 청주 숲속에서 길을 잃고 실종되었던 한 소녀가 실종 열흘 만에 기적처럼 무사히 돌아왔다.

매미

처절하구나 가파른 절규여
짱짱한 야생 울음으로
푸르른 존재를 증명하는
저 뜨거운 간절

순정의 외침 순정의 그리움이
식은 나무를 꼭 부여잡고
온몸 통으로 목청껏
소멸도 아랑곳없이 숲을 흔들다가

치열한 수직 울음으로
한 계절 뒤뜰을 관통하고
기어이 생애를 묻는 매미
목메는 맹목의 눈물겨운 애틋

곤두박질이 먼저

맨땅에서 튀어 오르는 별들을 바라본다
땅만이 아니구나
유리창 좁은 창틀에서도 부산스레 흩어지며 반짝이는
별들

곤두박질이 먼저다
몸을 던져 수직으로 곤두박질쳐야
반짝이는 별로 튀어 오를 수 있으니
비 오는 날 여기저기 튀어 오르는 별들의 아우성

곤두박질 다음은 부서짐일까
부서져야 별처럼 반짝이는 것이어서
마디마디 불빛 낯빛 머금었던 것일까

온몸으로 빗줄기 받아내는 상사화는
넘치는 무게만큼 위태롭게 흔들리고
한 생애 뒤틀린 등뼈는 지상의 빗줄기 흠뻑 품는데

어느 날은 눈썹 끝이 파르르 떨리고
손끝이며 혈관까지 저릿저릿 몸서리쳐도

부딪치고 부서지고 흩어지는 바닥에서 다시 아득한
반짝이는 별 그 너머의 지대

쑥부쟁이꽃에 가시가

손길 발길 오래 머문 적 없는데
어쩌다 닿은 눈길 반갑다고
쑥부쟁이꽃 보랏빛 숨결로
온몸 일으켜 반깁니다

눈길 준 만큼 마음 바라며
쉬 일어나고 흩어졌던 마음들 일렁이는
얄팍한 속내 들킬 것 같아서
휘어지고 돌아서던 뻔한 마음 가득한
눅눅한 마음자리 들킬 것 같아서

고인 마음 없이 저리 환한 쑥부쟁이꽃
오래 들이지 못하고 돌아섭니다

그윽한 국화 향도 쑥 향기도 품지 않은 쑥부쟁이꽃
이제 보니 향기 아닌 가시를 품고 있었나 보라고
심장 안쪽 찌르는 가시 하나 있는가 보라고 혼잣말을 하며
돌아서는 심장 한쪽이 저려 옵니다

달의 환담

누군가는 쓸쓸해서 웃고
누군가는 허망해서 웃는데

서늘한 웃음들이 어느 날은
달의 난간에 둘러앉아
일그러진 시간을 씻어내는지
담담하게 한 자락 빛을
주술처럼 보내주는 날

환하기도 해라
견고한 그대 기억도 길을 나서서
낯을 씻는 저편

화살나무

뾰족한 마음 밖으로 밀어내고도
톱니 같은 날카로움 자잘하게 매달고 있다가
오래도록 지우지 못한 날 선 마음이 나였다고
저리 붉어지도록 부끄러워하다가

화살 깃 같은 가지 끝으로 내달려
배웅이며 마중 없이도
쏜살같이 달려가는 마음이었다고
마다마디 손 흔드는 간절이었다고

늦은 가을 마음 못내 떨구고
사무치듯 너에게 가는 길었다고

미동산수목원에서

울퉁불퉁 아픈 몸으로 서 있는
때죽나무 한 그루에 가던 걸음 멈춘다

스며들던 달빛 외면하고
숨죽여 다가오던 바람길 봉쇄한 것인지
부르튼 마디마디 들어앉은 신열과 통증 만져지고
거무스레한 몸 지탱해온 뒤척임의 안쪽이 보이는데

제 안에 갇힌 것들 되새김질하며
한 그루 적막으로 서 있는 때죽나무의 지긋한 균형
하루하루 뒤틀리는 등뼈를 곧추세우려 애쓴 날들과
부르튼 옹이의 몸속 뭉쳐진 마음을 짚어보는 사이
무너진 심장 추스르려 안간힘 쓰던
한 사람의 부피가 골똘하게 들어선다

돌아보지 말아야지 눈길 돌리면
발끝에선 노란 복수초 햇볕을 만지작거리고
곤줄박이 한 마리 가지 끝 앉아 바람을 부르는지
공중을 가로질러 다가선
햇살 한 잎의 자리가 따뜻하게 피어난다

햇살 한 잎의 힘, 파고든다
가파른 마음들 무릎 짚고 일어서면
저 멀리 구름은 막막하게 무엇을 부르는가

사려니숲

원시의 시간에 신령처럼 깃들어도
통한의 뜨거운 목숨 잠들지 못해
까마귀 저 까마귀 떼는
허공을 치며 운다

죽은 나무에 새겨놓은
한 무더기 울음의 나이테
천년 묵은 바람은 주문처럼 떠돌며
핏빛 기억의 주름 휘감는데

후두둑 떨궈진 생생한 목숨들이
졸참나무 서어나무 때죽나무 산딸나무
그리고 저 삼나무 아래 새겨진 들끓었던 이름들이
사려니 사려니 바람 자락으로 떠돌고

통곡의 뿌리는 무섭도록 깊어라
까마귀 저 까마귀 떼
뜨거운 울음으로 허공을 치며
이제야 비로소 목놓아 운다

그 숲에서 옹이의 문장을 만났다

서어나무 숲에 부는 바람 같던 사람 있었지 풍화되지 못하고
전생처럼 웅크려 있는 부질없는 기억 탓하며 걷는 산길
떠나지도 보내지도 못하고 멈춰선 한 그루 때죽나무 울음을 만났다

숨 쉬는 것조차 칼날 위 같던 시간
가슴 후비는 칼끝으로 일어서는 사람
뽑아낼 수 없는 못으로 박힌 기억
빠져나가지 못한 그늘과 어둠의 뒷목들이
늑골 깊숙이서 웅성거리는데

비켜선 것 같은데 아직 그 자리, 돌아선 걸음인데 여전히 남아서, 무뎌졌는데 바람에도 통증, 어쩌면 차올랐을 어쩌면 새겨온 어쩌면 묻어온 어쩌면 덮어둔 가지 끝 매달린 행간의 문장들 밀어내는 새까만 나무 뒤꿈치가 맨발처럼 시리다

어디서 멈춘 것일까 스스로를 유폐하고
울퉁불퉁한 투병의 시간을 버틴 한 그루 생애

저 뒤틀림의 생애가 말하는 단단한 울음의 언어
길을 내지 못한 캄캄함만큼 힘껏 주먹을 쥐고
때죽나무 검은 몸이 건네는 겨울 숲 옹이의 문장

남아 있는 체온을 모아

꽃등불 환히 밝히느라 오래 애썼다고
쓰다듬으려 다가서는 사이
아무렇지 않게 지나는 바람 한 줄기에
꽃잎 풀풀 힘없이 내려와 지상에 눕는다

바람 한 줄기에 마음 베인 것일까
한 잎 비명도 없이 분분히 내려앉아
식어가는 체온을 더듬는 아직 환한 얼굴이
마음 가득 들어앉아 눈을 맞추는 저녁

소슬한 바람결도 가파르게 파고들면
주저 없이 지친 생을 내려놓는 거라고
차마 지우지 못한 마음마저 묻어버리는 거라고
지상에 누운 목련꽃 이파리가
남아 있는 체온을 바투 모아 새기는 생애의 문장

떨림도 울림도 사무침도 속절없는 거라고
헝클어진 눈빛으로 스스로 제를 올리며
숨결 멎는 순간에 제 피로 방점을 찍는
마지막 눈부신 바닥의 지문

제3부

그 저녁 바람의 노래

문밖에서

뜨거운 국이 담긴 냄비를 들고
현관문 밖에 아버지가 서 있다

안으로 들어오시라고 해도
국 냄비를 손에 들려주며 웃기만 하신다

20여 년 전 이른 봄날 아침
엄마가 끓인 쑥국을 먹고 출근하라고
이렇게 아버지가 가져다준 적이 있는데

저 먼 세상으로 건너가서도 맏이가 애잔하여
꿈속으로 찾아와 뜨거운 국 냄비를 전해주며
몸과 마음을 덥혀주시는 걸까

사랑한다거나 고맙다는 말은커녕
살갑게 곁을 내준 적 없는 딸이어서
안으로 선뜻 발을 들여놓지 않고
한사코 문밖에서 서성이는
아버지 아직도 못다 이른 저 발길

무심천 바람의 노래

노을빛 바람을 봅니다
눈시울 붉힌 하늘이 붉은 문장을 써 가고
허공 휘젓는 억새숲 바람 불러 모아
무심천 물길 가득 울음 복받치며 넘실댑니다

물길의 등을 봅니다
흐르는 것이 물뿐이겠느냐고
무심한 시간뿐이겠느냐고 혼잣말을 하는 사이
먼먼 저편에서 낮은 목소리 건너옵니다
노을 지는 돌계단에 앉아 고백처럼 부르던 노래
물길 휘감아 흐르다가 온몸에 스며들던
그 저녁 바람의 노래 들립니다
어둑한 기억 저편 돌계단 한쪽이 도드라지고
노을 아래 적막이 가만히 멈춰 섭니다

붉디붉은 하늘 울음을 봅니다
세월 따라 잊혀지는 것이 서글픔이라면
먼먼 적막의 계단 뒤편
숨어 있던 떨림이 일어나는 건 무엇인가요
멀리 간 마음들이 다시 무릎을 맞댄 듯

흩어진 기억이 하나둘 켜지는 저녁
아득한 저편에서 불어오는 바람의 노래를
노을 아래 흔들리는 억새 울음을 듣습니다

낯선 바람이 부는 곳에서

혼자 늙어가는 저녁을 이해한다
서늘한 허기만 남은 저녁이 쓸쓸히 소진되는 노을의 시간
붉은 강을 건너는 눈빛과 그 안쪽의 울음을 이해한다

우체국 앞에서 주춤거리는 발등
엽서 한 장 보내는 것도 뒤척이다가
표정 없이 돌아서는 텅 빈 걸음임을 이해한다

빗소리가 따가운 반점으로 기억되는 날
떨리는 손가락 사이로 흩어지던 바람
불현듯 모든 것이 낯설어지는 곳에서
창문 없는 방의 어둠에 이르기까지의 서늘한 여정을
기억해야 할까 그저 이해할 뿐이다

살아갈 날의 기온은 점점 낮아지고
맥없이 혼자 읊조리는 시간 늘어도
슬픔에 잠기지 않고 나는 이해할 것이다
평화나 평온의 지대보다 그늘 깊어지는
더 서늘한 날들이 이어지더라도

낯선 바람이 부는 곳에 서 있는 나
또는 너를 바라보며
혼자 늙어가는 시간을 이해한다

치명적 대화

심혈관이 뇌혈관에게
건네는 은밀한 암호
쉿~ 조심!
들키지 않게 숨죽여 잠복해야 해
표시 나지 않게 가만히 엎드려

MRI니 MRA니 요란한 검사가 위엄을 두루고
차가운 전자 기기 속에
정신과 육신을 다 포박해 버리는 거야
옴짝달싹할 수 없게

머리끝부터 발끝까지
몸속 곳곳 실핏줄들은 오늘도 밤샘이야
그렇게 바삐 부산하게 움직여도
한쪽 팔은 여전히 저릿저릿할 걸

정상 수치인 심전도는 뒤에서 비웃고
경동맥 속 잠복한 혈전이 숨어서
심장에서 뇌로 뇌에서 심장으로
손끝 발끝 몸 곳곳으로 보내는

붉디붉은 피의 타전

한 생애 휘청거리게 하는
숨어 있는 피의 길
표 내지 않는 저 막강한 맥락의 위력
은밀하고 치명적인

내일의 안부

반나절

바람 품은 볕이 좋아
쭈그려 앉아 만지작거리고 있으면
잊고 있던 그림자도 발밑 가까이에 머문다

개미 가족의 대이동을 한참 지켜보다가
더불어 안으로 구부정해지는 시간

양지꽃 괭이밥 꽃다지 민들레 노란 이름도 다정하게 불러보고
봄까치꽃 꽃마리 제비꽃 붓꽃에게도 고개 숙인다

산딸나무 때죽나무 길마가지꽃 새로 만난 이름들과 인사하고
꽃눈송이 매다는 벚나무 조팝나무 이팝나무 쥐똥나무 이리 이쁜 나무 곁에
한참 머물기도 하는 사이
울음인지 노래인지 모를 새소리도 가깝다

하늘엔 왜 구름이 저리 많을까 고개 들고 바라보면
이미 이승을 떠난 사람들이 가끔 곁에 앉아

옛날 모습 그 표정으로 가만히 말을 건넨다

오늘은 바람이 참 좋구나
바스락거리는 햇살과 바람의 언어를 손톱 아래 새긴다
바람의 깊이를 가늠하며 몸 열고 들이는 반나절
내 삶의 오후에 주어진 넉넉한 이 산책의 평화

푸른 사내와의 조우

—반 고흐 빛과 음악의 축제

겨울 제주에서 그를 만났다

제주 바당 곁에 며칠 머무는 사이
몸 곳곳에서 자꾸 물이 새어 나온다는 그의 목소리에서
먼 곳을 건너온 늙은 바람 소리가 났다

몽환적 음악 숨 막히는 선율이 감옥이 되어
살아 있는 빛을 가두고 숨을 죽여서
침묵의 언어마저 잃어 가고 있다며
비스듬히 고개 돌리는 서늘한 눈이 오래 쓸쓸했다

제주 바당 드넓은 바람마저 가둔
중문 저 구석
어설픈 빛과 음악의 축제에 잡혀 와서
무기력하고 서글픈 허기
푸른 영혼 푸른 고독의 사내
빈센트 반 고흐와의 조우

돌아서는 내 몸으로
휘이익

늙은 바람 한 자락 휘감겼다

61년생 김은숙 1

1961년에 세상에 와서
2021년 61세가 되었다

60년 살아왔다는 게 문득 놀라워
돌아보면 아득하고 희뿌연 날들
까마득하게 쌓인 날들의 두께가 두텁고 두렵다

위태롭게 건너온 사람과 시간의 협곡
휘둘리고 휘청거리며 푹푹 빠지던 사막의 지대에서
어설픈 걸음마다 푹 패인 발자국의 눈시울 뜨겁다

순간순간 치받고 찌르던 칼끝 뭉툭해지고
명치끝 저릿하던 선혈은 희미해져 저만큼 먼데
그리 애태울 것도 애통할 것도 없는 밋밋한 무풍지대에 이르러
지금은 노을을 마주하는 시간

부산스레 건너온 한낮 뜨거운 체온도 품고
뚝뚝 떨구는 지상의 눈물과 탄식 정처 없는 서글픔도 녹이며

더 붉고 넉넉한 노을의 시간에 서서
남은 날 엮어갈 손발을 들여다본다

61년생 김은숙 혼자 오래 걸어왔다
곧이어 어둠 내리고 캄캄한 밤이 오리니
버석거리는 손발이어도 마음 온기는 잃지 말자고 속말을
하며
언제나 그리운 평화와 평등의 지대를 생각한다

61년생 김은숙 2

우리는 민족중흥의 역사적 사명을 띠고 이 땅에 태어났다는 걸 국민학교에 들어가서 알았다 뜻 모르는 단어투성이인 국민교육헌장을 달달 외웠던 건 나머지 공부를 하지 않기 위해서였다 출생부터 고3 때까지 대통령이 한 사람이어서 '대통령' 다음엔 언제나 보통명사화 된 고유명사 '박정희'가 자연스레 이어져 하나의 어구語句가 되었다

1979년 10·26 사태가 일어났을 땐 북한군이 쳐들어오고 곧 뭔 일이 일어나는 줄 알았다 눈빛 순한 사람들 숨죽이고 두려워할 때 정작 이 땅을 뒤엎은 건 총칼로 몸을 세운 두려움 모르는 군인들, 다시 군사정권이 이어졌다

대학 입학식 날 할아버지는 나를 앉혀놓고 데모하는 것들은 다 빨갱이라며 절대 데모하지 않겠다는 다짐을 받았다 짧은 머리의 사복경찰이 득실거리는 대학에서 80학번 김은숙, 현진건의 「술 권하는 사회」를 몸으로 읽어갔다 허망하게 푹푹 꺼지는 땅을 간신히 디디고 현실과 허상 사이에서 매일 부딪치며 다치고 무너졌다 못 먹는 술을 먹기 시작했고 자주 주저앉아 울었다 눈이 매워 울다가 넘어지고 안경도 깨지고 손바닥이며 팔꿈치 여기저기에 상처가 생겼

으나 최루탄보다 맵고 아픈 건 현실이었고 피 흘리며 찢긴 건 머리고 가슴이었다

1980년 휴교령이 내려졌다 군인들이 대학 정문 후문을 지키며 출입을 통제했고 집에서 구독했던 조선일보 1면엔 매일 '무법천지 광주'라는 활자만 커다랗게 자리해서 다른 기사는 보이지 않았다 너나없이 쓰던 광주사태라는 말이 민주화운동으로 바뀌는 데는 오랜 시간이 걸렸다

1984년 스물네 살에 국어 교사가 되었다 무서워라, 교단에 서자 바로 실감한 내 안의 독초들 일사불란하고 획일적 수직적인 군사문화에서 습득된 통제와 억압의 불온한 독초들이 이미 내 무의식에 깊숙이 스며들어 잠복해 있었다

61년생 김은숙, 출생 이후 30여 년 이어진 군사정권의 그늘 그 엄혹한 시대를 어떻게 건너왔나 그토록 경계하던 시대의 음습한 그림자들이 내 안에 독초처럼 웅크려 숨죽이고 있다가 때때로 몸을 세우고 낯을 드러내는 것이 61세인 지금도 가장 두렵다

호르몬 유감

나이 쉰도 되기 전에 폐경이 된 건 그다지 서글프지 않았어 고단한 생활을 견디며 버텨온 몸을 다행으로 여겼으니까 그런데 쉰이 되자마자 맞닥뜨린 예상치 못한 상황에 몹시 당황할 수밖에 삶을 지탱하는 중심으로 여겼던 정신력이 알고 보니 아주 무력하다는 것 호르몬 앞에서 정신력은 미약할 뿐이라는 걸 실감했지 그래 몸을 지배하는 건 정신이 아니라 호르몬이었어 무겁고 무섭고 서글픈 수긍이야 여기저기 불편해서 병원에 가면 갑상선호르몬에 문제가 있다 여성호르몬이 부족해서 그렇다 의사들은 말끝마다 호르몬 카드를 들먹여 심지어 어떤 줄 알아? 호르몬이 성격까지 바꾸더라고 부끄럼 많던 수줍은 시절이 도대체 언제인지 기억도 가물가물해 부끄러움도 모르고 자꾸 뻔뻔해지는 나를 내가 바라보는 순간은 어이없고 슬퍼져 말도 많아지고 주장이 강해지는 것도 겁이 나 그뿐 아니야 비 오는 걸 좋아해서 한때는 장마철이 제일 좋았는데 아냐 이제는 비 오는 게 무서워 비만 오면 몸도 마음도 무기력해져서 늘어지니 무서울 수밖에 세상의 습기를 다 흡수한 듯 가라앉아 옴짝달싹 못 하고 축 처져 있다 보면 저절로 우울해지지 이런 것들이 다 호르몬과 관련 있다니 앞으로가 더 두려워 그나저나 호르몬 부족을 어쩌면 좋을까? 이런저런 호르몬 약을 처방받아서 먹고 있지만 한계가 있더라고 보이지도 만져지지도 않는 막무가내로 막강한 호르몬 말이야 남은 날이 길다는데 이 호르몬 부족을 어떻게 해야 하지?

손을 보다

손바닥에 글자 하나*를 선명하게 쓰고
TV토론에 나온 이를 보고서
가만히 손을 펴 손바닥을 들여다본다

바닥에 선명한 내川 모양의 손금
세 갈래로 패여 핏기없이 구부정한데
손안에 고이거나 엉거주춤 머물렀던
혹은 그러쥐려 했던 건 무엇이었나
얼기설기 뒤엉키고 일그러진 시간도
씨실 날실 조심스레 엮어
한 생의 무늬를 짜 가는 것인데

잔금들 사이 정처 없이 오르내리던 바람이
고개 들고 묻는다
예순 해 걸으며 내川 하나는 건넜느냐고
유선형 바람 한 줄기 물음표처럼 일어나
건너지 못한 길 위에 생생해지는 질문들

무릎 꿇고 공손히 받아적는
손의 물음 손의 길

손바닥으로 읽는 남은 생의 질문들

＊王.

그 사람은 모르게

끝끝내 쓰라린
애끓는 사랑 해보고 싶다

미세한 눈짓 하나에 파르르 흔들리고 휘감기며
막무가내로 달려가 어쩌지 못하게 휘몰아치는
그런 사람 하나 마음 끝방에 숨겨 놓고 싶다

뜨거움 없이 뜨겁고 아무도 모르게 위태로운
절벽에서도 뛰어내릴 것같이 저릿한 사랑
그렇게 가슴 시린 나 혼자 사랑
절절한 그리움으로 캄캄한 마음 숲을 헤매다가
등뼈 깊숙이엔 쓸쓸함만 서걱이는 서늘한 사랑

쪼개지고 짓무르고 펄럭이다 무너지고
검붉게 타는 가슴 화석이 되어도
끝끝내 닿을 수 없어 애달픈 혼자 사랑
이생이 끝나기 전에 한 번은
한 생이 무너지듯 처절하게 처연하게
그래도 그 사람은 모르게

쓸쓸한 농담

느닷없이 바람의 속살 스며들어
마음 한 조각 노릇노릇 구워지는 날

속살 깊이 배어 있는 슬픔의 언어가
아득한 노을빛으로 쏟아지는 날

들어선 바람 한 자락 늑골 사이를 서성이면
느릿느릿 자라던 저녁별 그림자도 이울어

오목한 계절의 뿌리에 스미는
멀고 먼 추억 닮은 쓸쓸한 농담

— 아무렇지 않은 날이 오래 되었다

심장에 귀를 대고

아버지의 심장이
그만 쉬어야겠다고 멈춰버린 것이
이제 조금 이해된다고
내 심장이 나직이 말하는 가을 아침
밤새 대지의 흐느낌이 깊기도 하였다

세상 밖 휘몰아치는 풍랑에 휘청이다가
늦은 밤 홀로 소주잔 기울이던
아버지의 고뇌
홀로 감당해 온 그 깊은 외로움을
외면해온 나는

서글픈 아버지의 심장에
버거운 아버지의 심장에
귀 기울인 적 없는 나는

이제 와 이 가을의 심장에 귀를 대고
이제야 허공에도 눈물이 있다는 걸 알아버리고
무장 무장 허공을 마주하여
흐느껴 운다

사랑은 어디에서 오는가

— 얘, 이상하다 찰떡이 어디 갔다니?

주방 여기저기며 냉장고 야채박스까지 칸칸이 찾던 엄니
밤사이 눈꺼풀이 더 내려앉은 눈으로 나를 쳐다본다

— 잊어버리고 안 꺼내 놓으신 거 아녀요?

아침에 영양찰떡을 먹자고 하신 엄니가
정작 냉동실에서 꺼내 놓는 것은 잊었나 보라고 하자

— 내가 분명 접시에 담아서 덮어 놨는데……

손길 눈길 부산하게 움직이다 오븐을 열어보니
모자 같은 덮개를 쓰고 얌전하게 있는 영양찰떡 두 개

— 아이구 얘, 내가 벌써 이러면 안 되는데……

한 겹 더 처진 눈꺼풀 사이로 햇살 투명하게 번지고
아침 식탁에 올라온 한 입의 웃음 한 묶음 웃음
냉장고와 오븐을 넘나드는 칸칸이 웃음 너머 파고드는

은밀한 주름

짠하고 뜨거운 무엇이 목구멍을 넘어가는 아침 식탁
눈부신 햇살 부서지는 틈으로
저녁 능선을 넘어가는 바람 한 줄기 슬그머니 넘실대고

눈물 나는 당도糖度

— 황태 좋아하잖아 바닥에 무수 깔고 조렸으니 먹어봐

황태 조림 한 냄비 내미는 엄니 얼굴이
달콤한 기대로 환하다

밥숟가락 뜨며 먼저 손이 가는 황태 조림
한 조각 입에 넣곤 깜짝 놀라서
올리고당 한 병을 쏟아부으셨나 기겁하다가

달고 짠 음식을 싫어하는 줄 알면서도
시시때때로 달고 짠 음식을 뚝딱뚝딱 해내며
맛이 어떠냐고 표정을 살피는 달고 짠한 엄니 사랑을
모르는 척 꿀꺽 삼킨다

다른 건 몰라도 손맛 하나 자랑하던
우리 엄니 미각은 어디로 달아난 걸까?
세월의 바퀴만큼 멀어지고 희미해진 건 미각만이 아니어서
목이 메어도 꾸역꾸역 넘기는 달고 단 황태 조림

본연의 맛을 다 덮어 지워버리고
밀도 높은 단맛으로 버무려진 황태 조림을 먹으며
극도의 단맛은 눈물을 부르는가 보라고
코끝 시린 짠한 세월을 품는가 보라고 속말을 하며
묵직한 당도로 넘어가는 가슴 뻐근한 사랑

엄마를 팔았다

어느 노인대학에 강의하러 가서
엄마를 팔았다

강의실 가득 일렁이는 오래된 눈빛이
따스하고 외로운 섬들 같아서
그 섬에서 흔들리는 바람꽃들 같아서
밤늦게까지 준비한 강의 자료는 접어두고
엄마를 팔기 시작했다

십여 년 전 서둘러 지상을 떠나신 아버지와
그 이후 어머니의 삶에 대해 풀어놓자
고개 끄덕이며 눈물까지 흘리는
순결하게 낡은 생애들 앞에서
아버지에 대한 시 한 편을 낭독할 때는
나도 모르게 눈시울 뜨거워지기도 하면서

쓸쓸한 물빛 같은 눈빛들을 마주보며
여전히 향기로운 꽃들이라고
소중한 존재라는 걸 기억하라고
힘주어 말하고 돌아오는 길

내 손에 들려진 얼마간의 강의료

어쩌다 엄마까지 팔고 왔을까
강의료 반을 드리며
엄마도 노인대학에 보내드릴까
무게 없이 건네는 빈말에
선한 노을빛 미소로 넘겨버리는
엄마의 저녁 한때

제4부

언젠가 봄날에

우리

한라에서 백두까지
같은 꿈을 꾸는 이가 많아지자
우리의 범주가 평화롭게 넓혀졌다

우리 땅을 거쳐 유라시아를 횡단하고
우리 땅을 통해서 천지 앞에 서겠다는
지상의 꿈을 말하는 얼굴들이 많아지자
희망 열차의 줄이 길고도 환해졌다

한 줌 흙에서도 살아나는 봄 내음과
여름 바람의 언저리도 한 줄기로 닿아 있고
가을 들녘을 살찌우는 햇살이며
겨울 산하의 눈보라까지도
한 길로 오가며 한 뿌리 내려왔다고
잊고 있던 산과 들과 풀꽃과 물빛으로
멀지 않은 지도를 만들며 살아나는 눈빛들

나날이 견고해지는 대장정의 길을 나서며
스스로 우리가 되어가는 희망의 눈시울이
동백 꽃술 되어 빼곡하다

달 안 절月裡寺

문의마을 지나
대청호 물굽이 따라 굽이굽이
엽록의 나무 터널길 굽이굽이

소금재 삼거리 지나
조붓한 소나무길 들어서면
구룡산 자락 베고 아담하게 자리한 도량
대웅전 안엔 부처님 자비 그윽하고
앞뜰엔 한 그루 목련 장엄한데

산굽이 휘감은 아홉 용 이야기보다
숨겨진 달 안 전설이 들릴 듯하여
뒤꿈치 한껏 들고 달 쪽으로 귀를 대는
달 속 사원寺院

그윽한 달빛 눈빛 머금고
오래 다소곳해지는
달 안 절, 월리사月裡寺

쥐똥나무꽃

— 할머니 먼저 한입 먹어
— 아니야 우리 강아지 먹으라고 할머니가 사서 기다린 거야 어여 먹어

노란 유치원 차에서 내린 손녀 손에 아이스크림을 들려주는 할머니한테 어린 손녀가 아이스크림을 다시 내민다

— 그래도 할머니 먼저 먹어야 내가 더 맛있게 먹지
— 에구 이쁘기도 해라 쥐방울만 한 할머니 보물단지

쥐방울만 한 보물단지 향기 세상 가득 번지는
오후 한때의 온도

도롱뇽과 장독대가 주인

— 조심해, 밟을라
앞서가던 윤석위 선배가 가리킨 조금 패인 땅바닥엔
도롱뇽 한 마리 엎드려 고인 빗물에 지도를 그리고

고적한 폐교 운동장 한쪽엔
제대로 된 터전으로 당당히 뿌리내린
장독대 울림 장엄하다

한때는 아이들이 손잡고 장난치며 학교를 오가고
복도에선 서로 놀리고 소리 지르며 뛰어놀기도 했을
산자락 아래 아담한 배움터 장암분교
수업 시간엔 선생님과 아이들 목소리 울려 퍼지고
웃음소리 책 읽는 소리 넘실댔던 한 마을의 중심이었을 학교가
목소리 발소리 끊겨 빗소리만 가득하니
주인을 잃어버린 운동장엔 무성한 풀들이 숲을 이뤘다

닫는다는 게 새로운 길을 열기도 하는지
아이들이 떠나고 학교 문을 닫으니
도롱뇽과 장독대가 당당한 주인

은행나무 불두화 철쭉이며 여기저기 무성한 풀들도 의젓한 주인
도롱뇽이 그리는 지도를 따라가면
장독대 오케스트라 연주가 들릴 것도 같아
계단 옆 낮은 풀숲 꽃향기들도 소곤거리고
숨은그림찾기 하듯 그 옛날 기억들이 살금살금 넘나들며
잊고 있던 시간여행 발길마다 무늬가 되는데

충북 괴산군 장암면 지금은 이름 내린 장암분교
아무도 묻지 않는 폐교의 서글픔을 침묵으로 견디다가
아직은 조금 낯선 해암캠퍼스 명찰을 달고
새로운 온기로 생명의 숨을 지피며
도롱뇽과 장독대가 주인으로 맞이하는 곳
산자락 아래 숨겨진
오래된 전설을 들려줄 것 같기도

뒤에서 걷다

— 아범 너도 이제 담배 끊어야지?

— 아버지도 지금껏 좋아서 피우시면서 왜 저한테 끊으라고 하세요?

— 좋아서 피웠겠냐? 끊지 못해서 여태 이러고 있지

— 할아버지도 아버지한테 담배 끊으라고 했는데 여적 안 끊으신 거잖아요?

— 니 할아버지는 한 번도 담배 끊으라고 안 했어 나를 별로 안 좋아했거든

팔십이 넘어 보이는 어르신과 육십쯤 보이는 아들이
나란히 걸으며 하는 말을 뒤에서 듣는다
사랑한다는 그립다는 이렇게 따사로운 문장들을
두 사람의 지긋한 등에서 읽으며
무료한 내 걸음의 비늘 털어내는 저녁 산책길
저 걸음들이 어디쯤에선가 맞닥뜨릴 이별의 시간이
검붉은 노을만큼의 깊이로 다가온다

저 두 사람의 걸음뿐이랴

수많은 앞선 걸음들이 이 저녁 길 위에 몇 겹으로 늘어선 듯 보인다

그 걸음들이 이어져 온 길을 뒤따라 걸으며
때로 사랑하고 부서지고 아파하며
더듬듯 살피듯 그리듯 부지런히 걷고 있구나
앞서가고 뒤따라 걷는 걸음과 눈빛이 낸 길들은
어디로 향하고 어디로 이어지는 걸까

답을 알 수 없는 생각들이 일어서는 저녁 산책길
붉기도 검기도 한 겹겹의 노을 따라 넘실대는 생각들 사
이로
두툼한 바람이 지긋하게 감싸며 번져가는
이 저녁 땅의 시간과 하늘의 시간

매생이집 가는 길

청주시 상당구 용정동 한라비발디아파트 203동 앞 계단을 내려와 호미골 체육공원으로 들어설 때 낮은 구름과 바람이 함께 길을 나섰다 공원 오른쪽 둘레길 한옆 계단으로 내려와 우미린 1차 아파트를 통과하여 우미린 2차로 가는 건널목 신호등은 빨간색 오늘따라 빨간색이 싫은 이유가 있지 담담히 길을 건너 우미린 2차 아파트 왼쪽 옆길을 거쳐서 용담 e편한세상 아파트 옆길로 내려서며 예전보다 이미 몸은 편한 세상이라고 몸이 편한 세상이 되는 건 오히려 쉽다고 생각한다 금천동 쪽으로 방향을 잡고 산성로 큰길을 내려오다가 명암저수지 입구 사거리 건널목에 내걸린 20대 대선과 상당구 국회의원 보궐선거 두 개의 당선 인사 현수막을 외면한다 초록색 신호등이 켜지기를 기다리는 시간 갑자기 몸에 힘이 빠지며 세상 향한 시선을 다 거둬버리고 싶다 대성동 쪽으로 길을 건너 조금 내려오다가 CU편의점 옆 골목길 용담로139번길로 들어서며 큰길에서 조금만 안쪽으로 접어들어도 이렇게 차도 사람도 없이 호젓한 길이 있으니 좋다고 생각한다 용담로139번길을 조금 올라가 가온어린이집 앞에서 왼쪽으로 꺾으면 교동로139번길 공원경로당과 라일락아파트를 지나 시와건축사사무소를 오른쪽에 두고 다시 교동로 큰길로 나가며 시와건축사사무소의 맨 앞

글자는 혹시 詩일까 궁금해진다 차들이 휙휙 지나가는 교동 터널을 넘어 내려가 진화 스님이 계신 용천사 쪽을 잠깐 바라보고 숲속요양원을 오른쪽에 두고 교동로 큰길을 내려와 충북자연과학교육원 옆 골목 교동로27번길로 들어선다 골목길을 조금 걷다가 우암산로와 만나 왼쪽 중앙시장 쪽으로 내려갈 때쯤 바람 부는 3월이 답답하게 느껴진다 이번에도 신호등은 또 빨간색 파란 나라가 점점 멀어지지 않을까 생각하며 건널목을 건너 오른쪽으로 꺾으니 매생이집 간판이 보인다 상당구 교동로3번길 54 집에서부터 4.2km 45분 소요 5500보를 걸어서 매생이집에 도착한다

이목梨木 삼거리

급할 것 없이 느긋한 바람 아래
슬며시 내가 흐르는 이목梨木 삼거리에는
가을 아침에도 배꽃 향이 피어난다

얼굴 가득 하얀 웃음 피워내던
어쩔 수 없이 나무 같던 사람이
어쩌면 배꽃을 닮았던가
배꽃 품은 물 내음에
젖은 입자의 추억도 어슴푸레 번진다

아무렇지 않게 뒷모습으로 말하던
세상에 대한 설움이
사람에 대한 슬픔이
긴 침묵만큼이나 깊어 보이던

어쩌면 배꽃을 닮았던
시린 계절을 사는 사람의 안부가
궁금해지는 가을

세 갈래 길의 머뭇거림마저 희미해진

이목梨木 삼거리에는
가을 아침에도 배꽃 향이 피어나고
세 갈래 길 서글픔이 비탈 아래로 흐른다

이정골 돌장승

청주시 상당구 용정동 이정골 입구 개울가엔 선한 웃음 짓고 서있는 돌장승 있어요 동네 사람들은 선돌멩이라 부르고 학자들은 석불입상이라고 하는데 공식 명칭은 청주 순치명 석조여래입상입니다 석조여래입상 그렇게 거창한 이름보다는 편한 친구처럼 돌장승이라고 불러야 웃어준답니다

긴 눈썹 아래 커다란 눈은 감은 듯 땅을 향하고 작은 입 가득 웃음 머금고 서 있는 돌장승에게 이 동네 사람들은 요즘도 그렇게 웃고 사느냐고 물으니 바람결인가요 소리 없는 돌장승 웃음소리가 들리지 뭐예요

얼굴을 좀 보라고 귀가 없지 않느냐고 세상 어지러운 소리 듣지 않으니 속 편하게 웃고 서 있다고 그게 웃을 수 있는 비밀이라네요 양쪽 귀가 없으니 막힘없이 바람 드나들고 흘러가고 흘려보내는 것들 자유로운 게 뭉툭한 코 아래 머금은 웃음의 비밀이라네요 눈 크게 뜨고 세상 보려 하지 않고 감은 듯 땅만 보고 있는 이유도 짐작할 수 있습니다

우리 동네 이정골 귀가 없는 돌장승은 들리는 게 없어서

세상 돌아가는 것을 모릅니다 땅의 숨결에 마음 두고 아래로만 눈길 향하니 두 손은 더 가지런히 모으게 된다고 그래야 오래도록 선한 웃음 품고 사람살이 지키는 마을 수호신 자리를 고집스레 지킬 수 있다네요 우리 동네 이정골 돌장승 웃음의 비밀

묵직한 문장을 읽다
— 금천동 꿈꾸는책방

가을 햇살 품은 쌀 한 자루를 받았다
번쩍 들고 가기 어려운 친환경 마음을 받았다

태풍과 천둥 견디고 고스란히 알맹이로 익어간
쌀 알갱이들이 전하는 온도와 무게
자신의 길을 의연하게 만들어가는
농사지은 이의 눈빛과 부지런한 뒤꿈치가 안으로 들어선다

햇살 밝은 좋은 날엔 마음 겸손히 낮추고
먹장구름 드리운 날에도 미소를 잃지 않는
허리 휘는 상황이면 오히려 굽은 허리를 곧게 펴고
눈빛 닮은 부부가 함께 걸어가며 진심으로 써가는 생애의 문장

모름지기 길다운 길 만들어가기
어려운 상황일수록 따뜻함 잃지 않기
순정의 마음 길 내며 기꺼이 나누기
책방에 꽂힌 책과 글만큼이나 정갈하게 새겨지는
문장 하나하나가 묵직한 날

책장 넘기듯 한 문장씩 정성스레
사람다움을 읽고 쓰며
함께 내야 할 길을 다시 묻는
우리 동네 금천동 꿈꾸는책방

종이약국

주저하지 말고 오세요 처방전 없어도 괜찮습니다 서걱이고 울먹이고 갈피 없이 두리번거리며 힘없이 주저앉을 때 황량한 벌판에서 위태롭게 지탱하고 있는 날들 이어질 때 그래요 종이약국으로 오세요

상처와 눈물 자국으로 속단하지 않고 응혈 진 마음 함부로 들여다보려 하지 않을게요 마음 들여다보기는 스스로 해야 하니까요 천천히 둘러보다가 맺혀있는 멍울 풀어주고 보듬어줄 종이약을 만나게 될 거예요

뜨거운 갈망과 원치 않는 이별로 온 생애 흔들릴 때 따뜻하게 마음이마 짚어줄 시집도 있고요 왜곡과 오독과 균열과 단절로 등뼈 깊숙이 칼날 박혀 삶의 마디마디 욱신거릴 때 깊숙한 손으로 마음등 쓸어내려 줄 소설도 있어요 우울의 늪 깊어 세상에 등 돌리고 싶을 때 넌지시 안부 물으며 고인 눈물 닦아줄 종이약들이 준비되어 있습니다

당당한 위용의 나무도 들여다보면 벌레에 갉아 먹혀 찢기고 얼룩진 잎들 매달고 있고 간신히 버티고 서 있는 나무도 바람 불면 같이 몸 흔들어주는 그 옆 나무의 입김에 힘을

내요 꽃 한 송이 피는 것도 햇볕과 바람이 거들고 기도처럼 맺히는 아침 이슬 덕일지 몰라요 쓸쓸한 사람숲에서 모두가 서글픈 깃발로 나부끼듯 살아가요

그늘진 마음에 순한 볕을 들이고 조금씩 슬픔의 무게를 덜어낼 수 있는 곳 여기는 마음자리 챙기는 종이약국입니다

*주의: 본인에게 적절한 약과 용량은 스스로 처방해야 함.
(과다복용으로 인한 부작용이 발견된 사례도 흔치 않게 있음)

껌 먹는 두더지*

— 신준수 시인

강원도 영월 서강자락 고라데이**
준수 명자 은옥 현숙 경희 정순 여기저기 어울려 누비며
겅중겅중 숨차게 뛰어다닌 곳곳엔
재잘거리는 아이들 소리 노래로 번지고
푸근히 산과 들을 품은 할머니가 펼쳐주신 풍성한 유년의 밥상

아스라이 화랏마을***로 이끄는 마타리꽃과
호박꼭지 목걸이에
냉이꽃 뱀밥 맘마꽃도 들판 가득 피워내고
해 질 무렵 더 붉은 수수밭 늘어서면
화롯불 가에 모여든 고라데이 사람들처럼
깊은 눈빛으로 아름다워지는 시간

산과 들 무늬 선명하게 새겨진
그 시절 유년의 고라데이 기억의 장에선
도룡뇽 알 쐐기벌레도 시간을 건너와 따스하게 데워지고
마음 깊이 익어가며 생생하게 펼쳐지는
아무나 가질 수 없는 그녀의 부러운 고라데이 추억

어디서나 쑥쑥 자라는 쑥향 가득한 들판의 시간과
민달팽이 사냥에
사마귀 메뚜기 온갖 곤충도 오롯이 아로새겨준 선물
부드러운 벨벳 촉감의 두더지 그리워
달콤한 껌 향기로 유혹하는 아이들 손짓과
모르는 척 굴 밖으로 나와 껌 먹는 두더지 어이없는 이야기까지
따뜻하고 부드러운 두더지 체온 만져지며
정겹게 어우러지는 고라데이 전원교향곡

그 시절 고라데이 풍성한 기록

* 껌 먹는 두더지: 신준수 시인의 산문집 제목.
** 고라데이: 골짜기의 영월 사투리.
*** 화랏마을: 강원도 영월군 서강자락 신주수 시인의 고향.

고두미 출판사

청주시 상당구 꽃산서로8번길 한쪽에
바람에 쉽게 흔들리지 않는다는
전설 같은 나무 한 그루 있다

동네 안쪽 귀퉁이에 고두미 출판사 이름을 걸고
어느새 스무 해 사람살이 받아내는 책을 만들며
종이에 시대의 무늬를 새겨가는
한 그루 나무 같은 시인이 있다

그럴싸하게 치장한 쭉정이 같은 말들이
여기저기서 몸을 세워 웅성거리면
마음 심지 세워 깊이를 헤아리다가
과장된 헛것들 사이에서 알맹이를 가려내며
낮은 목소리로 숨죽이게 하는 눈빛을 가진 시인
그 눈빛의 힘으로 구부정한 어깨를 다시 펴고
여린 꽃과 나무들 상처 보듬으며
책의 숲에 가만히 풀잎 향기 지어내는 손길이 있다

고단한 푸성귀 숨결과
아득한 골목길 헛헛한 뒷모습의 언어로 밥을 지어

눈시울 뜨거운 시의 밥상을 농담처럼 차리기도 하며
책으로 지상에 내온 길 스무 해 의연하니
꽃산서로8번길 고두미 출판사
류정환 시인이 밝히는 책의 등불이 있다

정북동토성에 노을 지다

토성 낮은 성곽 위 저녁 어스름 따라 오르니
그대 이름 저만큼 먼저 와 기다립니다
하루해 다하고 마지막 힘을 모은 하늘빛 합창
붉디붉은 음표로 넘실대는 벅찬 마중입니다

흘러가던 고요도 멈추어 경배하는 장엄한 노을의 시간
허공에 펼쳐지는 소멸과 불멸의 언어 사이에서
아늑과 적막을 받아적는 정북동토성
갈대숲 휘감던 바람은 느긋하게 성벽을 넘어오고
언덕배기 기웃거리던 구름은 너울너울 시대를 넘어갑니다

어둑해지는 정북동토성에서
우주의 선율 사이 포개지는 그대 붉은 이름을 마주하고
토성 밖 저 먼 들녘이 저물도록
허리 숙인 바람도 잦아들도록 오래 서서
어둠이 내리는 하늘에
먼먼 그대의 안부 이 땅의 안부를 묻습니다

어쩌면 지금도 봄

볕 좋은 날 오후
할머니 두 분 나란히 지팡이 짚고
중력을 지운 걸음으로
지상의 봄을 깨운다

봄을 부르는 저 사뿐한 걸음이
파꽃으로 피어
뒤편을 따르는
그림자마저 곱다

전설처럼 아득한 그 생애 봄날 한때는
다정한 향기에도 어지러웠고
뒤따라 일어나고 지워진 여름
그리고 가을 겨울날의 화석이 된 시간들

수많은 계절이 들락날락 피고 지는 사이
어느새 몸의 중력도 지워져
파꽃으로 봄 나비로 이리 가볍게
지상을 오르내리고 있으니

어쩌면 지금도 봄
어쩌면 지금도 꽃
지팡이 박자로 달래듯 두드리는
지상의 안부

언젠가 봄날에

2년 전 3월 그날도 날 흐리고 바람 심하게 불었다
황망한 마음들이 달려간 보은군 금강장례식장
여기저기 일렁이는 울음소리 눈물 출렁이는 장례식장에서
영정 속 고인은 민망하게 더 젊어져 인사를 받고
느닷없는 부음訃音이 믿기 어려운 객들은
이별에 대해 슬픔에 대해 말하지 않았다

류정환 정민 소리꾼 조애란과 다시 찾아간
보은군 산외면 장갑리 산 56-93번지
목정木丁 조원진 시인이 잠든 자리
오늘은 바람 잠잠하고 회색 하늘만 무겁다

경주법주도 따르고 유자막걸리도 올렸지만
대접하듯 경주법주는 고인 혼자 드시고
무덤가 둘러선 우리는 고인이 좋아했던 막걸리로 잔을 채워 돌리며
하나둘 『구절초의 노래』*를 들춰 불렀다

내가 먼저 「꽃다지의 노래」를 읽을 때
류 시인이 배경음악처럼 켜놓은 곡 「언젠가 봄날에」**가

구슬퍼서일까
한두 잔 마신 유자막걸리 때문일까 눈물 자꾸 흐르고
봉분 없는 고인의 시비詩碑 앞에 둘러선 우리는
하나둘 이어가며 시를 골라 읽었다
류 시인이 나직하게 시 두 편을 이어 읽자
비석 앞에 첫 평론집을 올린 정민도 소리 내어 시를 읽고
1주기 추모식 때 고인이 생전에 즐겨 부르던 노래 「영시의 이별」을 불렀던 소리꾼 조애란이 시를 읽을 때
무덤가에서 이어지는 시 낭독을 듣고 있을 고인의 표정을 나는 잠시 생각했다

유자막걸리 큰 병 하나를 다 비울 무렵
2년 전 쓴 추모시 「그리운 안드로메다」를 꺼내 읽은 류 시인이
안드로메다에 도착하려면 아직 멀었다고
아직도 가고 있을 거라며 저 먼먼 곳을 말하는데
목정木丁 조원진 시인이라면 그리 생경하고 머나먼 안드로메다로 가지 않고
보은군 산외면 어디쯤 산에 자리 잡고
여전히 산을 지키고 있을 것 같다는 생각이 들었으나 말

하지 않았다

허장무 조남야 신동인 이석우 도종환 노창선
오래전 함께했던 선배 문인이 무덤가에서 호명되고
이미 우리 곁을 떠난 김시천 선배까지 소환되며
글로 맺은 그간의 인연과 이별이 물결치며 일렁일 때
언젠가 봄날에 우리 다시 만나리*** 노랫가락은 더 구슬프게 마음을 휘젓고
주섬주섬 짐을 챙겨 길을 돌아 나온 날
문학 예술 사람 뭐 이런저런 이야기를 안주 삼아 늦게까지 술잔을 나누는 사이
사람과 사람이 순정으로 내는 마음길로 봄밤이 기울었다

오늘은 모두 영시의 이별이라고 외치던 사람들은 집에 들어갔을까
우리가 마주할 앞으로의 이별들은 몇 시쯤일까
가늠하기 어려운 이별의 시간은 모두 영시의 이별인 거라고
저 먼먼 안드로메다로 떠나건 어느 깊은 산자락에 자리 잡건

언젠가 봄날에 우리 다시 만날 거라고
맴도는 노랫가락을 자꾸 읊조리는 봄밤
언젠가 봄날에

*조원진 유고시집.
**도종환 시 「언젠가 봄날에」에 범능 스님이 곡을 붙여 부른 노래.
***노래 「언젠가 봄날에」의 마지막 구절.

해설

징후로서의 '통증'이 시와 삶에 재분배 되는 과정

강찬모 | 문학평론가

1

기억을 호명하며 현재화하는 일은 언제나 기쁨이거나 즐거움이기보다는 '물기'와 '바람'을 동반한 '쓸쓸함'일 때가 많다. 그리움의 처소가 쓸쓸함의 어느 한 부면인 것도 이 때문이다. 부름이야말로 "그대에게 묻는 그늘 깊은 지상의 안부"(「목련 안부」)이고 "목매는 맹목의 눈물겨운 애틋"함이며 "저 뜨거운 간절"(「매미」)의 노래가 아닌가.

대개 이런 경우 그리움은 민감한 부피의 '안쪽'에 "때죽나무 검은 몸이 건네는 겨울 숲 옹이의 문장"(「그 숲에서 옹이의 문장을 만났다」)처럼 "그대 가슴자리 어느 구석에/화인火印처럼"(「화인(火印)처럼」) 박힌다. 박힌 자리는 "공기의 안쪽"(「입춘」)이거나 "심장의 안쪽"(「난독(難讀)의 시간」)이거나 "뒤척임의 안쪽"(「미동산수목원에서」)인 탓에 통증의 역치閾値는 생살을 도려낸 고통으로 다가온다. 게다가 '공기'와 '심장'과 '뒤척임'의 안쪽은 더 깊은 안쪽으로 가는 길이 차단된 길이다. 통증을

우회하거나 회피하려는 너무나 자연스러운 인간의 본능이 작동하기 때문이다. 주목해 볼 점은 "안쪽의 울음"(「낯선 바람이 부는 곳에서」)은 이 같은 본능을 극복하고 더 깊은 안쪽으로 들어가 통증의 질량을 가속한 "치열한 수직 울음"(「매미」)이라는 점이다. 이런 면에서 시는 에누리 없이 냉정하고 시시로 잔인한 눈길로 내왕한다. 하지만 그것이 또한 부정할 수 없는 시의 서식지이며 시인의 터전인 것을 어쩌랴.

'통증'은 그것이 신체든 사회(자연)과학적 영역이든 내부에서 타전하는 외부를 향한 '위험 신호'라는 점에서 증상보다는 '징후'를 통해 더 보편적으로 인식된다. 따라서 통증은 기존의 부정적 회피 심리를 벗어나 징후로서의 신호를 자각함으로써 치유의 국면을 맞는다. 물론 자각의 여부가 치유의 성패를 좌우할 것이다. 이런 징후가 문학의 비평적 과제로 발굴 본격적으로 확장된 것은 2000년대 이후였다. '밀레니엄millennium'은 현존 일류가 경험한 최초의 천년의 종시終始로 미래에 대한 낙관적 전망의 한편에 미증유의 신생이 가져올 '불안감'이 각 영역에서 활발하게 제기된 시기였다. 불안감의 원인은 문명의 과잉으로 파생된 '병리성'인데 문학 특히 시는 예의銳意 그 진화된 촉수를 바탕으로 징후를 예민하게 포착, 끊임없이 위기를 타전 악성 전이를 막는 '참요讖謠'였다. 통증의 노출은 기존의 편견을 수정하고 건강성을 확보하는 징후로서의 역할을 고민하는 '신음'이므로 여전히 유효한 '아픔'이라고 할 수 있다.

김은숙의 이번 시집은 '계절'이 시가 되고 '가족'이 시가 되고 세상에 방치된 '변두리'가 시가 되어 마침내 삶에 포섭된 모든 생명들의 미세한 떨림까지 시의 '안쪽'으로 독백한다. 속으로 아픈 통증은 소리 없이 강하고 물리적 치료가 불가한 난해하고 고약한 거소에 심연으로 존재한다. 그래서 아프다. 특히 표제인 『그렇게 많은 날이 갔다』는 온축蘊蓄된 시간에 대한 종언이 아니라 현재의 자리에서 기왕의 시간을 묻고 천착하는 회고적 현실 환기의 의미를 갖는다. 미끄러진 것처럼 보였던 시간의 흐름을 예리하게 관찰하는 생생한 마음의 '행적行跡'이다. 그 행로에는 신비를 허락하지 않는 화석화된 적층의 시간 속에 호흡하는 많은 사연이 '염장鹽藏'되어 있다.

"—많은 날"은 '날들'이라는 복수의 시간을 의도적으로 배제함으로써 주체가 홀로 감당했을 하루하루에 실존적 의미를 부여한다. 많은 날은 하루가 뭉뚱그려 쌓인 시간의 덩어리가 아니다. 하루를 살아내는 조건으로 수용됐을 "문장 하나하나가 묵직한 날"(「묵직한 문장을 읽다」)로 "태풍과 천둥을 견디고 고스란히 알맹이로 익어간/쌀 알갱이들이 전하는 온도와 무게"를 지닌 '생태적 시간'이다. 지나온 자취가 치열할수록 현실은 회고적 자리가 길게 머무는 공간이 되기 쉬운데 이번 시집에서는 현실이 마냥 오래 서성이지 않는다. 현실은 "쓸쓸함도 잊은 채 더 편한 일상"(「그렇게 많은 날이 갔다」)일 정도로 어느새 익숙하게 빠른 회전을 한다. 그렇게 많은 날이 "아무렇지도 않은 오래된 날이"(「쓸쓸한 농담」) 된 것이다.

이 놀라운 날로 인해 통증은 아물고 지난 시간은 회억回憶으로 담담하게 재생되지만 사실은 망각 속에 유영하는 지워지지 않는 '날것'이 있다. '그렇게'와 '아무렇지도'의 사이에 시인의 날것이 산다. 상처의 '딱지'를 거부하는 역설이 산다. 상처에는 필연적으로 '통증'이 발생한다. 이를 해소하기 위해서는 되도록 특효약이 필요할 텐데 김은숙의 시적 치유과정은 환부를 집요하게 건드리기 때문에 치유는커녕 상처는 덧나고 통증은 증가한다. 앞에서 언급한 '안쪽의 울음'처럼 통증의 질량을 가속화하는 일종의 자학의 시간으로 보이는데 이 무서운 자기 응시를 통하여 상처와 통증은 치유의 희망을 발견한다. 납득하지 못하는 섣부른 치유는 곧 삶과 시의 진실을 가리는 오진誤診이며 자기기만의 허위의식이기 때문이다.

2

'가족'이 연민스러운 것은 자신의 '자화상'이기 때문이다. 또 하나의 자신이 '가족'이란 이름으로 산다. 이 같은 소위 대상화는 현실에서 곧잘 이중적 심리 상태로 잠복되어 있다 표출하게 되는데 반영적 관계는 서로를 응시하는 과정에서 불가피한 '균열'을 드러낸다. 가족사가 경쾌하게 구분되는 명랑한 운동성을 갖지 못하고 수동적 내력來歷이 되는 것도 균열이 초래한 굽이굽이의 곡선의 시간에서 비롯된다. 기쁨만이 사랑의 전유專有는 아닐 텐데 가족을 소비하는 방식에서 특히 '사랑'이란 이름은 소태처럼 쓴 통증으로 현실을 재현한다. 시에서 가족서사는 서정의 일반적 곡진함으로 채울 수 없는 스토리 즉 '윤곽'을 제공한다. 서정이 가족을 담으면 시어 하나에도 수많은 '점'과 '선'들이 희미한 안개를 걷는다. 이 윤곽으로 인해 특별할 수밖에 없는 서정의 진폭은 확장하는데 역시 상처와 통증이 번진다.

> 뜨거운 국이 담긴 냄비를 들고
> 현관문 밖에 아버지가 서 있다
>
> 안으로 들어오시라고 해도
> 국 냄비를 손에 들려주며 웃기만 하신다
>
> 20여 년 전 이른 봄날 아침
> 엄마가 끓인 쑥국을 먹고 출근하라고
> 이렇게 아버지가 가져다준 적이 있는데
>
> —「문밖에서」 부분

언제부턴가 아버지란 존재는 한 집안의 가장으로 군림하는 지엄한 권력자에서 엄마가 끓인 "쑥국"을 실어 나르는 양순한 존재가 되었다. 냄비를 든 아버지의 다정한 웃음이

도리어 시인에게 "20여 년 전 이른 봄날 아침"의 통증으로 귀환한다. 차라리 문 안을 지배하는 호통 치는 왕국이었다면 그곳을 다스리는 추장이었다면 통증은 스멀거리지 않았을 것이다. 통증은 '—다움'을 상실한 후 새롭게 정립된 위계 속에서 미동하는데 "돌아갈 수 없는 가원빌라 내 아버지의 시대"(「모든 과거형에는 슬픔이 배어 있다」)가 통증의 진앙지라면 "아버지의 단검"은 "숨이 턱 막히도록 깊숙한 통증이/안으로부터 칼로 올라와 찔러오는"(『손길』, 「아버지의 단검」) 실감의 고통이다.

'도끼'를 든 아버지의 위용에서 찾을 수 없는 귀환된 상처는 '문밖'이라는 공간에서 이율배반적으로 충돌한다. 시인에게 아버지가 서 있는 '문밖'은 세상의 풍파가 한시도 잠들지 못하고 아우성치는 생존의 현장으로 경계 밖이자 가족들과의 유대가 끊어진 '관심 밖'의 소외를 의미한다. 한 발만 앞으로 옮기면 안식과 평화의 세계지만 아버지는 끝내 현관문 밖에 고집스레 서 있을 뿐이다. 문밖은 순한 아버지가 원래 아버지란 야성野性으로 종횡하던 공간이다. 그러니까 문밖은 현재의 아버지가 한때 자신의 원적原籍을 확인하며 포기할 수 없는 아버지다운 자리인 것이다. 그럼에도 시인의 회한은 "사랑한다거나 고맙다는 말은커녕/살갑게 곁을 내준 적이 없는 딸이"라는 데서 깊어진다. 희미하지만 지워지지 않는 아버지란 흔적이 있는 한 아버지란 이름으로 사는 한 "아버지 아직도 못다 이른 저 발길"은 영원히 딸 곁으로 가족 곁으로 들여놓지 않을 것이다. 기실 "사랑한다거나 고맙다는 말은" 기다리는 것이 아니라 문밖에 있는 아버지 혹은 그(대)에게 내가 한 발 다가가 건네야 하는 말이다. '곁'을 내주지 않고 장승처럼 서있기만 했던 시인의 통증이 현관문을 사이에 둔 안팎의 거리만큼 긴 여진餘震으로 남는다.

아버지의 심장이
그만 쉬어야겠다고 멈춰버린 것이
이제 조금 이해된다고
내 심장이 나직이 말하는 가을 아침
밤새 대지의 흐느낌이 깊기도 하였다

세상 밖 휘몰아치는 풍랑에 휘청이다가
늦은 밤 홀로 소주잔 기울이던
아버지의 고뇌
홀로 감당해온 그 깊은 외로움을
외면해온 나는

—「심장에 귀를 대고」 부분

"아버지가 마시는 술에는 항상/보이지 않는 눈물이 절반이"(김현승, 「아버지의 마음」)라는 말이 진부하지 않은 이유는 아버지란 한 인간이 알몸으로 서 있는 자리가 여전히 기원을 알 수 없는 바람 부는 현관문 밖의 세상이기 때문이다. "아버지의 기억에서는/바람 냄새가" 나고/"11월 바람에서는/눈물 냄새가"(「눈물 냄새」) 나는 까닭이다. 현관문 밖은 아버지의 굴욕과 비굴이 때로 얼룩진 일상적 공간이며 어쩌다 아버지가 된 인간이 '애비'로 사는 천형天刑의 언덕이다. 혀빼문 새끼들의 일용할 양식은 애비 된 자의 굴욕으로 숭고함을 얻는다. 어느새 시인의 연륜이 이순耳順의 가을로 아버지의 외로움을 이해하는 시간이 온 것이다. "밤새 대지의 흐느낌이" 어찌 비뿐이랴.

시인의 아버지에 대한 회랑回廊은 원죄와 부채의식이 끝없이 충돌하고 갈등하며 "마침내 서서히 발효되는 시간"의 축적으로 "움푹 파인 상처의 시간들 하나 둘 여미며/더딘 걸음으로 이제야 이른 평온의 강/까마득한 날들이 조금씩 용서되는 시간"(「마침내 발효되는 시간」)이다. 가족사는 보편적이지만 돌출된 지점에서 가족이기 때문에 덧나는 특별한 사연을 갖는데 이 지점에서 가족사는 "누구의 잘못도 아"닌 자각을 통해 화해의 실마리를 찾는다. 그러나 자각은 "잠 못 이루는 날들 길게 쌓"이고 "벼랑 끝에서 견딘 가파른 시간"의 통증으로 얻은 세월의 힘이다.

— 황태 좋아하잖아, 바닥에 무수 깔고 조렸으니 먹어봐

황태 조림 한 냄비 내미는 엄니 얼굴이
달콤한 기대로 환하다

밥숟가락 뜨며 먼저 손이 가는 황태 조림
한 조각 입에 넣곤 깜짝 놀라서
올리고당 한 병을 쏟아부으셨나 기겁하다가

달고 짠 음식을 싫어하는 줄 알면서도
시시때때로 달고 짠 음식을 뚝딱뚝딱 해내며
맛이 어떠냐고 표정을 살피는 달고 짠한 엄니 사랑을
모르는 척 꿀꺽 삼킨다

—「눈물 나는 당도糖度」 부분

아직 '생존'이라는 현재성이 주는 안도감이 극단의 단절감을 상쇄시키는 면이 작용한 탓일 것이다. 시인의 엄마에 대한 시선은 아버지에 비하여 한결 밝은 색이다. "엄니"란 호칭은 이에 일조하며 '애비'로 전이된 아버지의 삶과 대조를 보이는 지점으로 한층 경쾌하고 정겹다.

이런 분위기는 엄니의 전언을 직접 드러냄으로써 두 사람 사이의 교감의 상황을 가감 없이 전달하는 역할을 한다. 대표적인 장면이 "무수"다. 지금 표준화된 '무'의 태생은 원래 '무수'였다. 그러나 밝다고 해서 시가 휘발성만 있는 것은 아니다. 밝지만 그 속엔 "뒷모습으로/오히려 더 많은 말을 하"(「심연」, 『부끄럼주의보』)시는 어머니의 비탈진 잠과 "다른 건 몰라도 손맛 하나 자랑하던/우리 엄니 미각"의 실종이 주는 저릿한 슬픔이 “묵직한 당도로 넘어가는 가슴 뻐근한 사랑”이 있다. 자극적인 맛들이 환영받지 못하는 현실이지만 단맛의 대명사 ‘설탕’은 한때 ‘사랑의 제국’ ‘행복의 자본’이었다. 지금도 그 맛들이 소용한 이유는 미각을 통해 환기되는 “손잡이도 없이 유폐시킨 낡은 기억의 빗장”(「폐허에 이르기 위하여」)이 있기 때문이다. “극도의 단맛은 눈물을 부르는가 보라고” 한 시인의 말이 깊다. 진짜 ‘단맛’은 ‘쓴맛(짠맛)’이 아닌가.

— 얘, 이상하다. 찰떡이 어디 갔다니?

주방 여기저기며 냉장고 야채박스까지 칸칸이 찾던 엄니가
밤사이 눈꺼풀이 더 내려앉은 눈으로 나를 쳐다본다.

— 잊어버리고 안 꺼내 놓으신 거 아녀요?

아침에 영양찰떡을 먹자고 하신 엄니가
정작 냉동실에서 꺼내 놓는 것은 잊었나 보라고 하자

— 내가 분명 접시에 담아서 덮어 놨는데……

손길 눈길 부산하게 움직이다 오븐을 열어보니
모자 같은 덮개를 쓰고 얌전하게 있는 영양찰떡 두 개

— 아이구, 얘, 내가 벌써 이러면 안 되는데……

—「사랑은 어디에서 오는가」 부분

연로한 부모를 모시고 살면 흔히 겪게 되는 일상의 소소한 해프닝이다. 눈여겨 볼 점은 시인이 해프닝을 풀어가는 담담한 시선이 퍽 따뜻하다는 점이다. 잦은 해프닝이 주는 이력 때문일 것이다. 평소와는 다른 엄니의 첫 행동이 주었던 캄캄한 충격이 일상으로 흡수되면서 연착륙된 풍경이다. "아침 식탁에 올라온 한 입의 웃음 한 묶음 웃음/냉장고와 오븐을 넘나드는 칸칸이 웃음 너머 파고드는/은밀한 주름"이 '웃픈'이 아니라 '슬웃'으로 처리되지만 이어지는 "은밀한 주름"은 슬픔과 웃음 사이에서 슬픔 쪽으로 반 발 더 옮겨져 있다. 이제야 알겠다. 엄니의 사랑이 어디에서 오는지. "아이쿠 얘, 내가 벌써 이러면 안 되는데……" 엄니의 말이 정답이다. 엄니는 우리 곁에 오래 있어야 하니까. 아직도 지키고 돌볼 새끼들이 있으니까. 엄니는 영원한 사랑이니까.

3

'– 무렵'은 스스로 자립적 능력을 갖지 못하고 무언가와 연동이 될 때 소환되는 의존적 속성 때문에 자기 실체가 약하지만 자립적 대상만으로 설명할 수 없는 저변의 시간을 보완하며 아스라한 기억의 현絃을 깨운다. 그래서 무렵에는 알싸한 냄새가 난다. "삐걱거리며 울려오는 땅 밑 신열과 균열"(「입춘」)의 냄새가 나고 "대서와 처서 사이/나비의 날갯짓 사이"(「입추立秋」)의 바람의 냄새가 나며 "숨죽이고 참아온 누추한 눈물자국"(「입동 무렵」)의 냄새가 난다.

현재가 과거를 소환하는 형태는 어떤 상황과 풍경이 동일한 조건과 온도로 반복될 때인데 계절은 이러한 시간의 패턴이 주기적으로 일어나는 돌출된 시간의 유전자이다. 아픈 기억이 무렵에 어김없이 출몰하는 이유이다. 이렇듯 '— 무렵'은 그것이 계절인 경우 절기를 알리는 '징후'로 병인 경우 통증을 알리는 '증상'으로 또 기억인 경우 지난 시간을 회상하는 '고리'가 된다. 감각은 무렵 언저리에서 점점 첨예해져 희미했던 기억의 실체와 조우를 하게 되는데 무렵이 활성화된 시간에 과거는 보다 선명해진다. 그것이 슬픔이든 기쁨이든 전면적이지만 망각 속에 묻어둔 상처일 때 무렵은 '통증'으로 엄습한다.

김은숙의 시에는 '— 무렵'과 관련된 시—「입춘 무렵, 봄」(『아름다운 소멸』), 「입춘 무렵, 詩作」, 「입추 무렵, 탁족濯足」(『손길』), 「입동立冬 채비」(『그렇게 많은 날이 갔다』) — 가 적지 않은데 '— 무렵'이 공통적으로 반영하는 것은 '물'의 심상心象이다. 물의 형이상학적 상상은 고래古來로 동서를 망라하며 물은 그 특유의 물성物性으로 시에서는 주로 하향적 정서인 '눈물'로 치환되어 왔다. 이런 점을 고려한다면 물은 그리움의 '열매'이며 열매는 닿지 못하는 아득함에 있으므로 '통증'

의 개관적 상관물이 된다. 그래서 시인에게 '꽃'과 '4월'은 지천으로 편만한 통증이다.

속살 고운 조팝나무 꽃가지 눈앞에 휘어져도
연보라 수수꽃다리 수줍은 향기로 다가와도
오래 눈 맞추고 웃을 수가 없다

지상으로 내려온 별꽃 눈빛 반짝이고
부지런한 노란 냉이꽃 발목을 휘감아도
눈 맞추고 오래 앉아 평화로울 수가 없다

곱디고운 봄까치꽃 보랏빛 눈웃음 반기고
노란 속살 민들레 낮은 미소로 말을 건네도

저 여린 꽃잎 꽃잎이
채 피우지 못한 어린 숨 같아서
너무 이르게 별이 된
안쓰러운 사월의 생명들 같아서

흩날리는 벚꽃 잎이 네 눈물 같아서
하늘에서 전해오는 소식 같아서
오래오래 그 고운 얼굴들을 마주할 수가 없다

보드라운 바람결도 뜨거운 칼날이 되어

저릿한 가슴 후비는

사월 이 땅의 참담한 들숨 날숨들

―「그럴 수가 없다」 전문

'세월호'의 비극을 환기하는 일은 꽃의 이른 집단적 낙화라는 예외적인 사건이라는 점 때문에 보편적 아픔으로 수렴된다. 특히 시인에게는 쉽게 감당할 수 없는 '통증'이다. '교실'은 빈칸을 메워간 시인의 원고지 인생이, 선생 김은숙의 반평생의 무늬가 오롯이 그 파릇한 꽃들로 인해 아름다운 '정원'이었고 그 꽃들과 함께 한 빛나는 '그늘'이었던 까닭이다. 그리하여 시인의 4월은 정말로 잔인한 계절, 선생 김은숙의 4월은 어김없이 도지는 '계절병'이 되었다. 좋은 것을 봐도 아름다운 것을 봐도 맛있는 것을 봐도 당연한 감흥이 없다. 비극이 더 크게 심화될 때가 개인이 처한 상황과 대비된 주변의 풍경일 때인데 4월은 지금 꽃의 '활황活況'으로 절정을 맞고 있다. 그만큼 시인의 고통도 저 분분히 떨어지는 꽃잎처럼 처연하다. 태생적으로 시인이란 자가 느끼는 통증의 감수성은 숙명적인데 김은숙의 통증은 '선생'이란 교훈과 규율의 이름으로 인해 더 가혹하다.

그곳에 있을 교사인 나는

그 자리에 가만히 있으라고

시키는 대로 자리를 지키라고 말하며
애타는 마음으로 아이들을 지켜보다
아이들과 함께 침몰했을 것임을 알기에

그 맑은 눈동자들 수많은 꽃봉오리들을
눈앞에서 잃어가는 상황이 생생하게 살아나
순종의 끔찍함이 가슴을 치는 시간
순하게 따르는 미덕이 무서워지는 시간

제 갈 길을 찾아보라기보다
무수히 갈 길을 가르쳐주려고 한
잘못된 교사의 길이 몸서리치게 무서운 시간
가르침의 책임을 나에게 묻는 시간

무거운 책임에 무릎 꿇는 참회도 무상하여
뜨거운 눈물 차오르는 가슴에
그 자리에 꼼짝 않고 있다가
나와 함께 수장되었을 어린 나의 눈동자들이
지울 수 없는 화인火印으로 가슴에 박힌다

5월 하늘에서
어린 목숨들이 다시 내게 묻는
스승의 길

사람의 길

마땅한 도리의 무게

—「화인火印」 전문

선생 김은숙은 4월에 죽고 시인 김은숙으로만 남아 누군가는 기록하고 또 누군가는 기억해야 할 4월 낙화가 써내려간 '비망록備忘錄'이자 '징비록懲毖錄'이다. 세월호는 '나라'였고 승객은 '시민'이었으며 우리는 국가의 방임 속에 '동혈同穴'을 근거지로 신원되지 못한 채 출몰하는 '유령'이 되었다. 사마천의 거세된 생이 '역사'의 삶으로만 존재했듯 시인의 삶은 살아 있음만으로 연명하는 '죽은 시인의 나라'가 도래한 것이다. 나라와 시민, 선생과 시인 우리 모두는 배가 침몰하는 순간 아이들과 함께 물속에 '수장水葬'이라는 완벽한 '침잠沈潛'을 당한 것이다. 누구도 살아나올 수 없는 조건이었다. 만약 어느 누군가 살아나왔다면 그는 사회적 통념과 질서와 상식이라는 세상의 모든 고전적 가치를 배반한 요즘 뜬금없이 튀어나온 소위 '반지성'적인 사람일 것이다. 생각을 가진 사람은 그날 모두 죽었으며 아니 죽어야했다. '4.16'은 미완성된 '5.16'을 연장시킨 딸이 감행한 반지성의 '장송葬送혁명'이며 부녀가 함께 친 대한민국의 '조종弔鐘'이었다.

"그 자리에 가만히 있으라"는 최초 발신자의 발화는 어떤 외부의 오염된 상황에도 보존되는 무균질의 영향력이 있을 때만 수용되는 생명의 '명령'이며 안전의 '소도蘇塗'였다. 즉 가만히 있었기 때문에 살 수 있었음이 순정하게 증명되어야 하는 발신임에도 결과는 “순종의 끔찍함이 가슴을 치”고 “순하게 따르는 미덕이 무서”움으로 끝나는 파국이 된 것이다. 더욱 대단한 일은 죽을 때까지 “그 자리에 있으라”는 말을 교훈적으로 듣고 도덕적으로 죽어갔다는 사실이다. 배를 탄 꽃들은 하나같이 교과서보다 윤리적이었으며 경전經典보다 성스러웠다. 이렇게 하여 4월은 화려한 배반의 달로 “심장 안쪽 찌르는 가시 하나”(「쑥부쟁이꽃에 가시 하나가」)가 생때같든 목숨들을 소환하는 죽음의 계절이 되었다. 이제 세월호는 살아 있는 모든 ‘기성旣成’이 부끄러움이 되는 영원히 아픈 통증으로 남았다.

길가에 팽개쳐진 신발 한 짝 눈에 밟혀
손끝 발끝 따갑게 시려 온다

누구인가
이 겨울을 꽁꽁 언 맨발로 건너는 이의 뒷모습이 보이는 듯
차고 무거운 냉기 엄습하고

낯선 이의 허기와 냉기가 들어앉아
손끝 발끝 아릿하게 저리는 겨울
가만가만 발등만 쓰다듬는 저녁

—「누군가의 맨발」 부분

"신발"처럼 무거운 한 생을 오롯이 감내하고 "남아 있는 체온을 바투 모아 새기는 생애의 문장"도 없을 것이다. 오직 발의 의지에 의해//"마지막 눈부신 바닥의 지문"(「남아 있는 체온을 모아」)을 찍는다. 신발은 발의 지문 발자취, 혼자 힘으로는 지문을 찍을 수 없는 신발의 숙명이다. 그런 신발이 발을 잃고 발을 가진 누군가를 잃고 유기된 채 방치되어 있다.

신발은 발이 감당해야 할 누군가의 삶의 하중을 완충하며 보호하는 '자서전自敍傳'의 재료이다. 이런 이유로 신발은 발이 써 내려간 슬픈 수고의 내력과 은밀한 금단의 경계까지를 기억하며 그 사람의 심장이 고동치는 "허기와 냉기"를 온전히 포용한다. 신발은 삶의 최소한의 외피를 의미하는데 이것마저 잃고 "이 겨울을 꽁꽁 언 맨발로 건너는 이의 뒷모습"은 보호막이 사라진 자가 느끼게 될 실체가 분명한 통증으로 다가온다. 시인이 할 수 있는 건 겨우 "발등만 쓰다듬"는 일이지만 이런 부질없어 보이는 반복된 행동 속에는 신발을 잃은 자가 느끼는 "차고 무거운 냉기"의 통증이 약화되기를 바라는 시인의 긴절緊切한 염원이 포함되어 있다. 누구나 한때 맨발이 청춘이었던 시절이 덧없이 가고 있다.

4

한 사람의 시인의 시에서 자신의 삶의 '나이테'를 온전히 드러내는 일은 시가 아무리 내밀한 자기 고백적 사유의 흔적이라고 해도 쉽게 볼 수 있는 일은 아니다. 파편적으로 흡수되는 경우는 허다하지만 생의 '마디'를 정리하는 기로에서 전경화하는 경우는 흔치 않다. 아래 인용된 두 편의 시는 인간 김은숙이 미리 쓴 자신의 '행장기行狀記'이다. 「61년생 김은숙 1」은 총론을 「61년생 김은숙 2」는 각론을 담았다. 이 속에는 한 개인의 삶은 물론, 우리 현대사의 격동과 파란의 시간들이 입체적으로 펼쳐진다.

1961년에 세상에 와서
2021년 61세가 되었다

60년 살아왔다는 게 문득 놀라워
돌아보면 아득하고 희뿌연 날들
까마득하게 쌓인 날들의 두께가 두텁고 두렵다

위태롭게 건너온 사람과 시간의 협곡
휘둘리고 휘청거리며 푹푹 빠지던 사막의 지대에서
어설픈 걸음마다 푹 패인 발자국의 눈시울 뜨겁다

순간순간 치받고 찌르던 칼끝 뭉툭해지고
명치끝 저릿하던 선혈은 희미해져 저만큼 먼데
그리 애태울 것도 애통할 것도 없는 밋밋한 무풍지대에 이

르러

지금은 노을을 마주하는 시간

부산스레 건너온 한낮 뜨거운 체온도 품고

뚝뚝 떨구는 지상의 눈물과 탄식 정처 없는 서글픔도 녹이며

더 붉고 넉넉한 노을의 시간에 서서

남은 날 엮어갈 손발을 들여다본다

61년생 김은숙 혼자 오래 걸어왔다

곧이어 어둠 내리고 캄캄한 밤이 오리니

버석거리는 손발이어도 마음 온기는 잃지 말자고 속말을 하며

언제나 그리운 평화와 평등의 지대를 생각한다

—「61년생 김은숙 1」 전문

전혀 생각해보지 않았던 재미있는 그러나 왠지 쓸쓸한 연동이다. 태어난 해의 뒷자리가 나이가 되는 해, 인생을 살면서 한 번은 일치가 되는 해가 올 테지만 누구나 그 시간을 특별히 여기며 자신의 지나온 삶을 회고하지는 않을 것이다. 아니 의식하지 못하고 지나가는 삶이 더 많을지도 모르겠다.

이런 점에서 '61년생 김은숙'은 이 땅에 수많은 김은숙들이 자신의 삶을 미리 정리해 보는 인생의 '중간정산서'인 셈이다. 수년 전 소설 「82년생 김지영」이 장안에 화제가 된 바

있다. 김은숙의 61년처럼 김지영의 82년도 한 시대를 투영하는 많은 이야기와 잔상들이 녹아 있다. 작품 속에 등장하는 '연대年代'는 작가의 이름을 포함한 다수의 소품들이 시대를 대표하는 평균적 상징성으로 인해 그 자체가 하나의 연대기年代記적 서사성을 가진 '실록實錄'의 성격을 지닌다.

위태롭게 건너온 협곡의 시간 앞에 노을을 마주한 시간은 삶이 준 서러운 보상으로 "뚝뚝 떨구는 지상의 눈물과 탄식 정처 없는 서글픔"도 비로소 담담하게 무화되는 서운한 대로 넉넉한 관조의 시간이다. 환대하며 초대하지는 않았으나 인간 김은숙이 맞이해야 할 '저녁'이 온 것이다. 저녁은 "부산스레 건너온 한낮 뜨거운 체온"이 노을에 식어가며 평화가 깃드는 적멸의 시간으로 "혼자 오래 걸어" 사막을 통과한 자에게 주는 장엄한 위로의 선물이다. 낮과 어둠이 교차하는 저녁이 마련된 시간은 아스라한 몽상이 가물거리며 개와 늑대가 오는 시간이기도 하다.

「61년생 김은숙 2」는 61년이란 세월이 현실과 유리된 독립변수로 존재하는 것이 아님을 보여준다. 역사와 함께 시대와 더불어 존재한 시간임을 '다큐'처럼 생생하게 증언한다. 이 땅에 60년대 태어난 사람들이라면 누구나 공감하는 '총화단결'과 '국민교육헌장'으로 상징되는 전체와 집합을 강요했던 획일의 시대가 숨 가쁘게 그려진다. 야만의 시대에도 학생 김은숙은 공부를 했고 키가 자랐으며 "출생부터 고3 때까지 대통령이 한 사람이"(「61년생 김은숙 2」)었던 독재자의 허망한 말로를 목도했다. 이어 '서울의 봄'이 화려하게 유리된 '광주'의 상처를 가슴에 묻고 상아탑을 배회하던 환멸의 시간을 지나 비로소 부유하던 젊은 날의 초상肖像과 마주한 것이다. 광기로 얼룩진 한국 현대사의 그늘 속에서도 삶은 지엄했으며 '생애주기'는 성장했다. 이 눈부신 생명력 덕분에 다큐 특유의 건조함은 휴머니즘의 옷 '서정'을 입는다.

김은숙 시인을 생각할 때마다 오버랩 되는 사람이 있다. 그도 교사였고 정년을 넉넉히 남긴 어느 날 안정이 보장된 회사 같은 직장을 박차고 나왔다. 그가 세상으로 나온 것은 더 늦기 전에 '나'를 찾기 위한 무모한(?) 여정에 나서기 위해서였다. 처음에 한 일은 가까운 동네 공원을 걸으며 '체력'을 기르는 것이었다. 무언가를 찾는 일은 또 누구를 만나러 가는 길은 언제나 두 배 이상의 마음 근육과 수고가 필요한 일, 결국 그는 길 위에서 '사람'이 되고 '시인'이 되고 자기 '자신'을 만났다.

김은숙 시인에게 또다른 길이란 어떤 길일까. 그는 이미 도착하기 어려운 시인이 되었고 시인보다 더 가까운 사람도 되었는데 무엇이 그를 사랑의 학교와 결별을 재촉했을까. "박수받을 때 떠나라"는 재래의 별리의 방식과는 영합하지 않는 성정임을 알기에 못내 궁금하던 차였다. 답은 시와 좀 더 가까워지기 위해서였단다. "시 쓰는 마음으로/사람에게 조금 더 손길 발길"(「시인의 말」)을 내기 위해서란다. '길'은 손과 발의 마음이 머무는 곳이니 보이지 않아도 그윽하다. 눈길도 길은 보이지 않지만 세상에서 가장 은밀한 마음이 아닌가.

그러니까 김은숙 시인의 결단과 선택은 그것이 상상이든 실재이든 새로운 길을 내는 시간을 갖기 위한 능동적 결정이었던 셈이다. 그 길이 산책이든 여행이든 심지어 몽상이든 상관없다. "다만 내 글 모두가/정처 없던 그 여행기/여행의 기록일 것이"(「여행」)라고 말한 박경리처럼 "혼자서 여행을 했다/꿈속에서도 여행을 했고/서산 바라보면서도 여행을 했고/나무의 가지치기를 하면서도,/ 서억서억 톱이 움직이며/나무의 살갗이 찢기는 것을,/그럴 때도 여행을 했고/밭을 맬 때도/설거지를 할 때도 여행을"(박경리 「여행」) 했던 것같이 시인의 눈길은 몽상의 씨앗이 되고 발길은 몽상을 실현하고 만나며 다시 몽상의 재료가 되는 바람의 길에 시인은 선 것이다.

사람은 더이상 이룰 게 없다고 생각할 때 갱신을 포기 스스로 '늪'이 된다. 익숙한 것으로부터의 격절隔絶로 인해 김은숙의 삶은 낯섦이 주는 신생으로 다시 활력을 찾을 것이고 시는 더욱 생동할 것이다. "이생이 끝나기 전에 한번은/한 생이 무너지듯 해보고 싶"단다. "뜨거움 없이 뜨겁고 아무도 모르게 위태로운/절벽에서도 뛰어내릴 것같이 저릿한 사랑"(「그 사람은 모르게」)을. 더구나 그 사람은 모르게. 우리는 그런 감당 못 할 사랑을 '벙어리 사랑'이라고 하고 그가 얻었을 '속앓이'를 '벙어리 냉가슴'이라고 한다. 얼마나 '애(창자)'가 타 뜨거웠으면 차라리 냉가슴이 되었을까. 그런 바보 같은 위험한 사랑을 해보고 싶단다. 아직도 그의 꿈은 '활화산活火山'이다. 연소 되지 않은 불의 씨앗이 자라고 있음이다. 앞으로도 김은숙의 삶과 그리고 시가 "참 따갑고/푸"(「죽비竹篦 소리」)를 것 같다. 세상의 모든 통증은 '푸른색'이므로. 아픔은 영원히 살아있음의 '성장통成長痛'이므로.

한 가지 첨언 하자면, 시인은 '약사'이기도 하다. 처방전 없이도 드나들 수 있는 문턱이 낮은 '종이약국 꿈꾸는 책방'을 장날처럼 운영한다. 세파에 찢겨 마음의 갈피를 잡지 못하는 사람들의 얘기를 '그냥' 귀를 쫑긋 세워 들어주고 건강에 좋은 친환경의 묵직한 '문장(文章)' 하나를 골라줄 뿐이다. 예부터 "문장이 된다"는 얘기는 "문리文理가 트였다"는 말보다 지성과 인격의 황홀한 종합으로 최고의 상찬賞讚이었으며 기능(앎)을 초월한 지점에서 자랐다. 그러니까 문장은 문리가 꿈꾼 오래된 미래인 셈이다.

그는 최근에 —"봄꽃 잔치 눈부셔 차마 볼 수 없더니/밤새 비 내린 후 꽃눈 내"(「꽃눈」)린다는 — 문장 하나를 골랐다. '낙화洛花'를 '꽃눈'이라고 — 종이약국표 — 처방전을 써줌으로써 속절없이 실의에 빠진 사람들의 슬픔을 환하게 밝혀주었다. 이제 사람들은 꽃이 진다고 상심하지 않는다. 꽃눈이 오니까. 이렇듯 종이약사의 비법을 굳이 꼽으라면 그가 마음의 통증을 신통神通하게 들여다보고 방통旁通하게 다스리는 시인이라는 것이다. 보다시피 특별한 약을 조제하지 않지만 어느새 '금천동'을 넘어 경향 각지에서 입소문을 타고 덧난 상처를 치료하기 위하여 그 용하다는 종이약국의 약사를 찾는다.

동주의 시 「병원」에 나오는 젊은이의 병을 모르는 늙은 의사보다 족집게여서 "이 지나친 시련"과 "피로"에 "성"을 낼 필요가 없다. 언제나 그곳에 가면 꿈꾸는 책이 되는 사람들이 오래도록 종이약국의 풍경으로 남을 듯하다. 종이약국은 상호 이외에 — "그늘진 마음에 볕을 들이고 조금씩 슬픔의 무게를 덜어낼 수 있는 곳"(「종이약국」)이란 — 꼬리가 긴 마법 같은 진짜 이름을 하나 더 갖고 있다. 이 이름은 '비기祕記' 지만 약국을 찾는 사람들에게는 이미 공공연하다. 통증은 이렇게 때를 불문하고 전방위적으로 틈입闖入한다. 그러나 시와 시인이 있는 한 오늘도 종이약국이라고 소문난 골목에선 종이약사가 치유의 희망을 '낭독'한다. 이것이 "시를 쓰는 시인이 아니라/시답게 사는 시인"(「죽비竹篦 소리」)의 길이기에.

그렇게 많은 날이 갔다

2022년 6월 23일 초판 1쇄 발행
2024년 2월 15일 초판 4쇄 발행

지은이 김은숙
펴낸이 유정환
펴낸곳 도서출판 고두미
등록 2001년 5월 22일(제2001-000011호)
충북 청주시 상당구 꽃산서로8번길 90
Tel. 043-257-2224 / Fax. 070-7016-0823
E-mail. godumi@naver.com

ISBN 979-11-91306-26-2 03810

값 10,000원